PARATii
ENTRE DOIS POLOS

AMYR KLINK

PARATii
ENTRE DOIS POLOS

Projeto gráfico:
HÉLIO DE ALMEIDA

36ª reimpressão

COMPANHIA DAS LETRAS

Para Ana Maria
Copyright © 1992 by Amyr Klink
Grafia atualizada segundo o Acordo Ortográfico da Língua Portuguesa de 1990, que entrou em vigor no Brasil em 2009.

Capa:
Hélio de Almeida

Fotos:
Amyr Klink, Ashraf Klink, Fausto Chermont
e *Audichromo Editora*

Mapas:
Sírio B. Cançado

Revisão:
Carmen Simões da Costa
Cecília Ramos

Atualização ortográfica:
2 estúdio gráfico

Dados Internacionais de Catalogação na Publicação (CIP)
(Câmara Brasileira do Livro, SP, Brasil)

Klink, Amyr, 1955-
 Paratii: entre dois polos / Amyr Klink. — São Paulo : Companhia das Letras, 1992.

 ISBN 978-85-7164-282-9
 Bibliografia.

 1. Antártica — Descrição e viagens 2. Klink, Amyr, 1955- 3.Paratii (Barco) 4.Viagens marítimas I. Titulo II. Narrativas pessoais.

92-3004   CDD-910.9167

Índices para catálogo sistemático:
1. Regiões antárticas : Viagens marítimas : Narrativas pessoais 910.9167
2. Viagens marítimas : Regiões antárticas : Narrativas pessoais 910.9167

Todos os direitos desta edição reservados à
EDITORA SCHWARCZ S.A.
Rua Bandeira Paulista, 702, cj. 32
04532-002 — São Paulo — SP
Telefone: (11) 3707-3500
www.companhiadasletras.com.br
www.blogdacompanhia.com.br
facebook.com/companhiadasletras
instagram.com/companhiadasletras
twitter.com/cialetras

*Then fancies flee away
I'll care not what men say
I'll labour night and day
to be a pilgrim.*

John Bunyan

ÍNDICE

Carta do Hélio   9

1 A escuna azul   17
2 Barcos sem mar   27
3 Partir   35
4 No país dos albatrozes   43
5 Gelos vermelhos   53
6 Pupilas quadradas   63
7 Navios felizes   79
8 Passageiros do tempo   97
9 O outro lado do gelo   117
10 A baía partida   135
11 Até a volta, *Rapa Nui*!   155
12 O raio verde   175
13 Cabos impassáveis   189
14 Juntando as pedras   203

Agradecimento   225
Bibliografia sugerida   227

A VIAGEM DO PARATII

Uma volta de 22 meses
em busca de uma pedrinha.

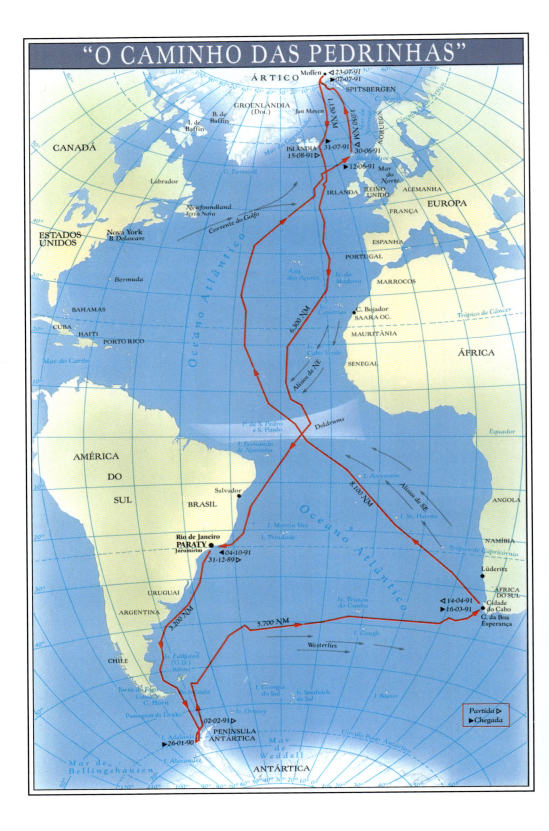

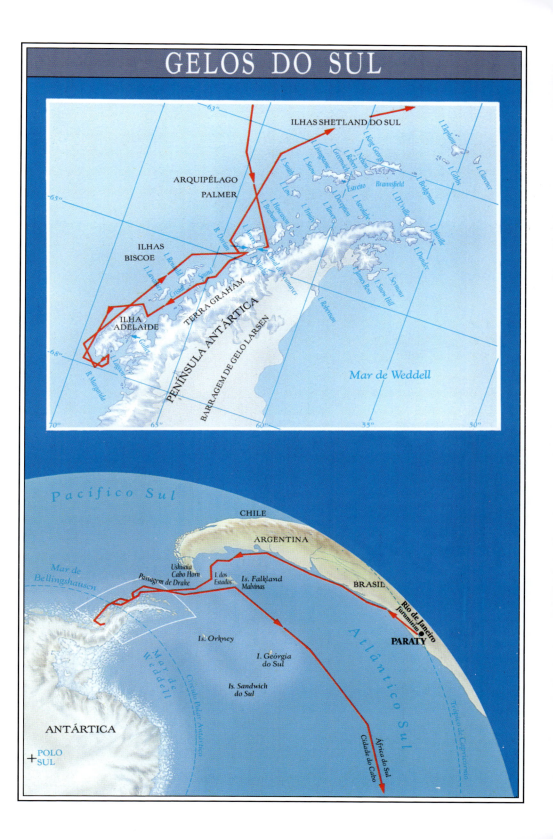

GELOS DO NORTE

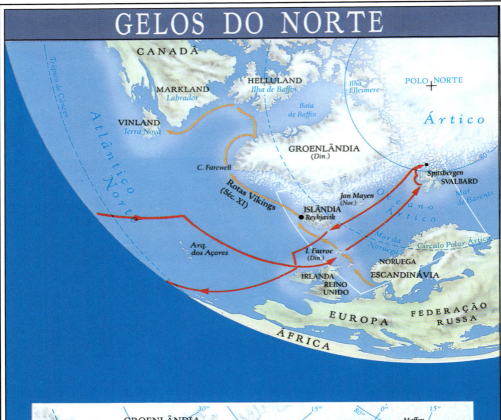

CARTA DO HÉLIO

Meu amigo AMIR

É quase excesso de liberdade lhe chamar de amigo. Eu, basicamente, sei dos seus feitos (que respeito e admiro), mas me sinto um tanto presunçoso lhe chamar de amigo. Pois apesar de bastante termos conversado, e sempre, de minha parte pelo menos, sentindo sempre uma grande empatia, não cheguei na sua intimidade. Falha minha? Falha sua? Pouco importa, talvez mero resultado (e suponho) de nossa timidez (acredite, eu falante, cheio de conversa, sempre serei um tímido irrestrito. Algo irrecuperável. (ambem não importa, gosto de mim!).

Mas, voltando a conversa, lhe chamo de amigo, porque independentemente de qualquer coisa, que seja só pelos

PARA: Amir / *Paratii*
DE: Hélio / *Vagabundo*
PARA LER NAVEGANDO

Meu amigo Amir

É quase excesso de liberdade lhe chamar de amigo. Eu, basicamente, sei dos seus feitos (que respeito e admiro), mas me sinto um tanto presunçoso lhe chamando de amigo. Pois, apesar de bastante termos conversado, e sempre, de minha parte pelo menos, sentindo sempre uma grande empatia, não cheguei na sua intimidade. Falha minha? Falha sua? Pouco importa, talvez mesmo resultado (e empenho) de nossa timidez (acredite, eu falante, cheio de conversa, sempre serei um tímido irrestrito. Algo irrecuperável. Também não importa, gosto de mim!).
Mas, voltando à conversa, lhe chamo de amigo, porque independentemente de qualquer coisa, que seja só pelos seus olhos, gosto de você. Se mais não lhe conheci foi "falha nossa". A vida é infinita, e há muito por se viver. Live and let live. Um dia as coisas acontecem!
O momento que lhe escrevo é a exata hora que cheguei em casa após aquele jantar na casa de nosso amigo Ricardo Maluf.
"Houve uma pausa, pois a 'azul real lavável' de minha obsoleta Parker 21 acabou."
Ele tão diferente do que somos, e tão fiel companheiro.

Conversamos hoje. Foi muito agradável lhe ver com aqueles óculos em minha frente. Não fui eu, foi meu coração que falou com você. Por mim o papo iria até o raiar do dia (rimou?!), mas não me estendo, afinal os outros também lhe merecem. Mas, dono que sou desse caderno em que ora escrevo, mando e desmando e me permito escrever pra você. Afinal, quando você estiver lendo isso, tenho certeza de que todo o tempo do mundo será seu. Essa conversa aqui não vai privar ninguém de você.
Mas escrevo por quê?
No duro mesmo, por nada, só quero conversar com você, esse amigo, rigoroso que sou, que ainda não tenho. Sinto só um amor pouco conversado, e ainda perfeitamente conversável.
Tivesse eu tempo, e esse maldito cansaço não me enchesse o saco, fatalmente você teria um livro manuscrito a ler, nessa sua fria (°C) estadia.
Eu já lhe disse hoje: nem sei se sou seu amigo, porém tiro aqui meu chapéu pra esse marinheiro.
Não quero chamar seu futuro feito de heroico. No sentido "guiness" da palavra, pois sei que não é isso que esse seu coração procura. Mas fico aqui com meus botões, pensando, o quanto de especial existe em tudo isso. Fico imaginando, quanto frio, quanta solidão você vai passar, quanto medo. *Medo, meu irmão, a gente passa por isso. (Grande parêntese: Quem diz que não tem medo é tão mixo, tão pobre de espírito, que nem vou perder meu tempo em considerações a respeito. O medo é real, existe e tem a pentelha qualidade de estar presente. Tirando o Super Man, que é de Cripton, nós humanos passamos, sentimos, sofremos o medo. É inevitável! Acho eu que o grande "corajoso" é aquele que tem plena consciência de seu medo, e, sendo esperto, sabe administrá-lo. A grande nobreza do espírito, nesse pormenor, é ser consciente e bom administrador. Só que no nosso caso, marinheiros que somos, a fraqueza, o vacilo, não nos são permitidos. Vacilar é sinônimo de morte, de fim. Ter medo, sim, é humano! Vacilar, pestanejar, ser ineficiente na marinharia, a nós, não nos é permitido. Nós marinheiros temos só uma opção, se quisermos chegar, sermos eficientes,*

próximos do perfeito, fora disso nada nos resta. Ah! meu marinheiro Amir, tenho tanta certeza da sua eficiência. Lhe julgo tão marinheiro. Sei dos escorregões que você vai dar, das inseguranças, das dúvidas, mas sei, com absoluta certeza, que você "naturalmente" vai se dar bem. Acho tanto de você, que seu feito, feito por você, é mera obrigação de ser sucesso. O mínimo que espero, e sei, é você ter sucesso, humildemente, não contando os "impossíveis" obstáculos que você, só você, venceu.

Fechou aqui o parêntese, pois até me perdi nele. Ele, o parêntese, era só pra dizer que medo é inevitável e que só quem sabe de si sabe vencê-lo. Os fracos morrem! Fica aqui combinada uma festa na "zona", no seu centésimo aniversário.)

Vivi no mar por cinco anos e muita gente me chama de "lobo do mar", "marinheiro experiente". Até posso aceitar os "títulos honoríficos", ressaltando sempre o ditado que diz: "Em terra de cego, quem tem um olho é rei".

Mal sabem os incautos que, depois do pouco que fiz, descobri que nada sei. Você sabe do que falo (cem dias). Quanto mais descobri do mar, mais realizei que nada sei sobre ele. Ele, a maior expressão da natureza, a expressão máxima do "meu" Deus, é imprevisível, inequacionável e tem a fantástica qualidade de, apesar de ser finito (área e volume conhecidos), ter a magia de se mostrar infinito. Isso, só quem navega sabe. Eu lhe afirmo, meu companheiro navegador, o mar é absolutamente infinito!

Estou aqui a lhe escrever sobre nada e no fundo sobre tudo, me pego arriscando a lhe dar conselhos!? Puxa! Quem sou eu, que sabe que nada sabe sobre o mar.

Minha consciência sobre o mar, hoje, é tanta que não arrisco um conselho, mas, ignorante que sou sobre o gelo, era até capaz de lhe deitar algumas normas.

No mínimo não lhe aconselho sentar sem calças no mesmo, principalmente o fofo, que inevitavelmente entraria em seu rabo. Cuidado com o "pack", ao nele andar, pois já ouvi "muita" gente dizer que, às vezes, ele se quebra e você não volta, e os "floes", então, isso é coisa do diabo, batem no barco, têm cara de inocente e são víboras. Nada como ser ignorante, tudo fica mais fácil.

Que sua estada seja agradável. Se quiser um palpite, aquelas "coisas" muito sul, nas bandas de Adelaide (ou quase isso, me lembro agora da moçada do Damien*), de repente não são interessantes. Você, hoje, comentou sobre outra opção, uma opção com vida animal. Penso. Penso em focas, leões-marinhos, elefantes e um tal de leopardo marinho que nunca vi e ouvi falar. Penso em aves marinhas, elas umas das mais, senão a maior expressão da vida animal nesse nosso satélite. Aliás o animal mais nobre que conheço é o "wandering albatross", o velho e bom albatroz das altas latitudes. Pra mim é inimaginável um ser ser mais harmonioso, gracioso e eficiente. Lembrando que tudo isso refere-se a um albatroz voando em pelo menos sessenta nós de vento e com a manha de sequer bater as asas. Se me fosse dada essa nobreza, mole, mole eu seria o rei do mundo (abdicável no dia seguinte, por total desinteresse pelo cargo).*

Sei que não tomo o seu tempo, pois ele, agora, é bastante disponível. Por isso me estendo sem nenhuma vergonha.

Tempo. Tempo. Tempo.

Meu amigo Amir, não sei o que você vai descobrir nessa sua alva, virginal estadia. Só você saberá. Espero um dia ouvir de sua boca pelo menos um pouco dessa sua sabedoria então adquirida. Mas me permita falar um pouco de mim. Atrás do meu "grande feito" (mal sabem que só bundei o tempo todo) ouço me autorizarem a ser o que conheceu o mundo. Volto a dizer que, depois de muito conhecê-lo tal o mar, aprendi que nada ou quase nada dele conheço. Mas entendo e não menosprezo quem de alguma, pura, forma inveje não ter visto o que vi. Seria piegas e desonesto eu não merecer o que conheci. Mas o que nunca ninguém entendeu, nem me perguntou e, mais do que isso, sequer imaginou, foi me perguntar sobre o tempo.

CARTA DO HÉLIO

Um dia, meu amigo Amir, eu descobri que tinha todo o tempo do mundo. Foi um dia que joguei a âncora do Vagau (o dono do Noosa-Noosa) *e me apercebi que ali eu poderia ficar um segundo ou um ano.*

Foi o dia que percebi que eu era o soberano do meu TEMPO.

Milhões de mundos maravilhosos como o nosso jamais encerrarão a piracular beleza do saber soberano de seu próprio tempo. Mandar e desmandar sobre o momento seguinte.

Essa foi minha grande viagem.

De alguma forma você vai passar por isso. Amigo Amir, por favor, me conte sobre isso, um dia!

A nova carga de tinta da caneta parece que dura ainda muitas páginas, o que agora perturba é essa porra de sono que, embora não discuto o prazer de uma cama, nos faz perder "em média" oito horas de coisas a fazer. O sono, o cansaço me cobram. Por mim, eu queria conversar mais. Muito mais.

Não me despeço, apenas digo boa-noite, não sem antes lhe dizer o que sei que você está "careca" de saber:

>   *Faça tudo, busque o impossível,*
>   *Mas, meu amigo,*
>   *Respeite o mar.*
>   *O sábio marinheiro sabe que*
>   *Ele jamais venceu uma tormenta,*
>   *Apenas e tão somente apenas,*
>   *Foi o mar que deixou*
>   *Ele passar.*

PS: O *Vagau, o Vagabundo, me disse que espera de volta o* Noosa-Noosa *dele. Metido que ele é, disse que você é quem tem que trazer de volta. Pessoalmente. Na moita. Sem ninguém à volta. Sem ninguém ver. Como especial deferência, disse que eu posso estar por perto. Disse também pra você conversar muito com o* Paratii, *porque eles, barcos, gostam de amigos fiéis. Disse também que você vai se foder que nem eu, que pode pensar em se separar de tudo na vida, menos de seu barco. E completou dizendo que barco que é barco não liga pra verniz, e sim pra graxa no lugar certo e, sem ter visto pessoalmente, me falou que tem certeza que o* Paratii *é um dos dele. Que joga no mesmo time.*

Sei lá, o Vagau tem sempre razão!

1

A ESCUNA AZUL

Como uma ilha azul que se avista à distância, pouco a pouco ela ia ganhando contorno e detalhes, e, já próxima, revelava formas originais e intrigantes — a silhueta elegante, forte, que eu já vira outras vezes. Um certo ar de quem percorreu grandes distâncias em paz, e marcas de beleza que só as viagens e o tempo trazem. Não era íntima conhecida, mas uma paixão que me perseguia havia um bom tempo. A escuna azul, um veleiro viajante de dois mastros que de tempos em tempos aparecia no Brasil, e que eu nunca deixava escapar sem uma pequena abordagem.

Rapa Nui, nome polinésio da ilha da Páscoa, lindo nome para um barco azul e cheio de histórias. Construído em alumínio, em Tarare, na França, num estaleiro onde nasceram dúzias e dúzias de barcos e viagens que se tornaram célebres. A escuna azul, mais do que um veleiro interessante, era uma espécie de máquina de viajar por mar, segura, independente e muito bem equipada. Um barco feito para ir por qualquer caminho. E voltar. Pior ainda, um barco polar, que a qualquer hora acabaria atravessando as altas latitudes para navegar no gelo. Um barco com cara e alma de barco. O barco dos meus sonhos.

Conseguir os planos da escuna azul foi um passo. Afinal, o barco já existia com todas as virtudes e vícios bem à mostra. Não os conhecia bem, mas não seria impossível um dia, quando retornasse, fazer uma visita mais minuciosa. Construir tal barco no Brasil tampouco parecia ser uma obra do demônio, mesmo que em alumínio e com recursos ainda invisíveis. Armá-lo em cutter, e não em escuna, parecia mais lógico para se navegar só ou com pouca tripulação. Talvez pintá-lo de vermelho, para destacar melhor o casco contra o gelo branco. Incrível como é fácil fazer planos sobre um papel vazio. E como, ainda que vagas, algumas linhas traçadas tornam-se tão importantes. Ou perigosas. Difícil mesmo seria imaginar aonde me levariam essas linhas.

O *Rapa Nui* permanecia apenas por períodos breves nas proximidades do Rio de Janeiro, e eu decidi ser mais eficiente e ousado nas abordagens para conhecer seus segredos. Os seus "habitantes", Patrick e Gabi, tornaram-se aos poucos bons conhecidos e acabaram colaborando para o meu plano de construir um barco igual ao deles. A última vez que os vi estavam ancorados na ilha do Cavaco, em Angra dos Reis, para uma despedida do Brasil. Partiam para as ilhas Falkland e Geórgia do Sul, talvez Antártica, e descansavam os últimos dias em latitudes quentes. A escuna azul, discretamente ancorada nas águas quietas da baía da ilha Grande e prestes a descer para os *roaring forties* e as ondas gigantes do Sul, estava linda. Havia naquele barco, que eu via de modo tão especial, um certo clima de nervosismo e alegria comum aos que vão para longe mas sabem que voltarão. Foi minha despedida também. Muito provavelmente não voltaria a encontrá-los tão cedo e meu tempo se consumia na solução de problemas terrenos. Mas gostei de tê-los visto antes de partirem.

"Até um dia, *Rapa Nui*!"

Construir barcos é uma aventura infinitamente maior e mais arriscada do que se lançar com eles aos extremos do planeta. Uma doença que, às vezes, conduz a caminhos tempestuosos. Um casal de amigos franceses, que morou em Paraty, sofria já há mais tempo do mesmo mal e era divertido de tempos em tempos comparar os sintomas e a irreversível evolução da doença. Tínhamos planos diferentes. Eles pensavam numa volta ao mundo tradicional, navegando por latitudes tranquilas, mas congestionadas, e sem data para voltar. Eu sonhava com lugares menos frequentados — as regiões polares — e, mais do que percorrer caminhos no mar, em atravessar as quatro estações do ano. Viajar no tempo talvez. Conhecer o inverno antártico de verão a verão. Assim ficou escrito no meu plano.

O processo de contaminação, no entanto, é semelhante. Em pouco tempo, plantas, papéis, rabiscos, chapas, desenhos, cálculos sem fim passam a ser a razão da existência. Engenheiros, projetistas, contatos e mais contatos, tempo que se evapora até que um dia algo inexplicável acontece.

* * *

Fazia um frio terrível no porto e não havia muitos cantinhos onde me esconder do vento. Bem ao lado de um enorme rebocador estava um pequeno veleiro de casco branco, *o Belle Étoile*, negociando um abrigo neste ventoso estreito de Magalhães, quando percebi uma cabeça que espiava para fora da gaiuta. Acenei rápido, meio sem graça, e a cabeça respondeu com um gesto de amizade: "Venha a bordo, está frio aí fora". Em segundos saltava para dentro do barquinho. Que festa! Aquecedor ligado, cabine aconchegante e bagunçada, cinco alpinistas belgas num veleiro descendo para a Antártica! Que coincidência! Eu também descia para o continente gelado, mas voando, de Hércules, a convite da Marinha, para passar uma temporada a bordo do navio de apoio oceanográfico *Barão de Teffé*. Que pena também, os caminhos e os abrigos dos navios não são os mesmos dos pequenos barcos na Antártica e dificilmente encontraria o *Belle Étoile* nos canais antárticos com tempo para conversar e ver como se comporta ali um veleiro. Mas foi uma bela visita no cais de Punta Arenas, numa tarde gelada antes de voltar para o hotel. Contei meu plano de construir um veleiro para um dia invernar lá embaixo, da dificuldade de se fazer um barco perfeito para isso no Brasil e o meu rápido anfitrião, num gesto de boa sorte, disse: "Espero que um dia, quando nos encontremos, você me passe as amarras de seu futuro barco!". Saí correndo, no vento, animado. Tinha gostado da visita, dos bons votos e do nome do veleirinho também — *Belle Étoile*!

"Meu futuro barco", pensei, "que longo caminho a percorrer." Com os desenhos do projetista do *Rapa Nui* nas mãos eu havia dado um passo importante e iniciado a montagem de um casco. O meu futuro barco ainda não passava de um monte de chapas de alumínio aguardando soldagem. Não tinha a menor ideia de quando tomariam forma e se tornariam um barco presente, mas algo me dizia, desde que deixara o Brasil, que não deveria continuar apenas aguardando.

A ilha King George, onde se encontra a estação antártica brasileira, e a ilha Livingstone são as maiores do arquipélago subantártico das Shetland do Sul, predominantemente de origem vulcânica. O clima é frio e oceânico, ainda exposto às depressões meteorológicas da passagem de Drake. A partir desse arquipélago, a Antártica foi, pela primeira vez, vista por olhos humanos. Oficialmente no ano de

1819, pelo capitão inglês William Smith, mas possivelmente muito antes. Caçadores de focas e elefantes-marinhos, e, depois, no início do século XX, baleeiros, foram seus mais frequentes visitantes. Hoje um número considerável de estações de diferentes países estão ali instaladas. Fiordes, geleiras e formações vulcânicas são encontrados por toda parte e, mesmo sendo o primeiro grupo de ilhas que se avista quando se vem do cabo Horn, não é um lugar procurado por pequenos barcos ou veleiros. As variações meteorológicas súbitas, as condições de mar e, sobretudo, de gelo afastam a navegação "pequena" mais para o sul, para o continente antártico propriamente dito. Com exceção da cratera vulcânica de Deception, a última ilha do grupo, raramente veleiros se aproximam da península pelas Shetland, preferindo ir mais ao sul, onde o número de ancoradouros abrigados de gelos à deriva é maior. E o tempo, melhor.

Alguns dias mais tarde, já pousados na base chilena Teniente Marsh, onde está a única pista da região, fomos transferidos para o *Barão de Teffé*, que seguiu para a baía do Almirantado. O navio vermelho, que no passado se chamava *Tala-Dan* e detém uma longa história de viagens polares, entrou na enseada Martel, onde está a estação brasileira, empurrando pequenos gelos num mar cristalino e espelhado. Em silêncio ouvia o som dos *bergybits* que tocavam o casco, e olhava. O primeiro contato com esse mundo governado pelo gelo é impressionante. Olhava a proa do navio cortando uma água de cor turquesa, olhava os picos e geleiras em volta. Apareceram à esquerda os módulos pintados de verde da Estação Ferraz. E, subitamente, ancorado em frente, um pequeno vulto se destacava. Um barco. Não! Um veleiro. Um veleiro azul com dois mastros e o nome pintado no casco com letras inclinadas enormes — *Rapa Nui*.

Não havia a menor dúvida, lá estava a minha adorada escuna azul. Ali. Outra vez. Bem na minha frente. Lindamente ancorada.

Chegara na véspera, vindo diretamente da Geórgia do Sul, contra ventos e correntes. Contra a mais remota expectativa. Que monumental surpresa!

"Ei, rapaz! Até aqui você vem pra namorar o meu barco?", berrou Patrick, ao identificar um sujeito suspeito no primeiro bote inflável que se aproximou.

Um reencontro absolutamente impensável há tão pouco tempo. A bordo, o cheiro e os detalhes de sempre, os mesmos habitantes, Patrick, Gabi, a cachorrinha, a gata e um carioca também, o bem-humorado João que eu conhecera em Angra. De repente, o convite:

"Por que você não vem com a gente?"

"Como!?"

"Por que você não vem com a gente, Amyr?"

Um convite diabólico e uma decisão nada simples. Eu aguardara três meses com brutal ansiedade a confirmação da vinda a bordo do *Barão de Teffé*. Estava num programa rígido, preparado com pelo menos seis meses de antecedência, no qual meus direitos se limitavam a cumprir o cronograma até o final de abril daquele ano, 1986, quando o navio voltaria a atracar em Santos.

Abandonar tudo, para saltar no primeiro veleiro que aparecia, não era uma das ideias mais simpáticas que eu poderia ter. Sobretudo quando se leva em conta a disciplina e os regulamentos da Marinha. Mas não havia também tempo para explicar. O *Rapa Nui* não era um barco qualquer e aquela decididamente não era uma ocasião comum. O veleiro estava de partida para a cratera de Deception e eu tinha que resolver rápido o problema de como deixar o navio. Foi uma das coisas mais desagradáveis que já fiz. Mas também a decisão mais acertada que já tomei. Quando, afinal, o comandante Alencar autorizou a transferência para *o Rapa Nui*, restavam quinze minutos para jogar tudo numa mochila e pular para a escuna azul.

Poucas horas depois de deixar a Estação Ferraz, começamos a pagar o preço da pressa. O lindo e forte veleiro, que refletia seu majestoso perfil no mar liso da baía do Almirantado, parecia uma casquinha de amendoim lutando para não sumir entre as ondas. Colhidos por uma violenta tempestade de nordeste, descíamos pelo estreito de Bransfield, entre as Shetland do Sul e a península Antártica, em absurda velocidade, surfando ondas altas e curtas sem nenhuma visibilidade, os cabos todos cobertos de gelo que, de quando em quando, se quebrava e caía no convés em forma de canaletas. À frente, a arrebentação se confundia com pedaços de gelo muito maiores do que o barco. Paredões brancos de água levantando-se por trás e muros de gelo que apareciam à frente, quase em cima do nariz, sem aviso. Meu batismo antártico e minha maior tempestade até hoje. Mas também a última da viagem. A casquinha de amendoim cumpriu seu caminho e atravessou sem arranhões, no dia seguinte, os Foles de Netuno — a estreita garganta que dá acesso ao interior da ilha de Deception. Não tive tempo de sentir medo, frio ou mesmo alegria. Ao soltar a âncora do *Rapa Nui* em Telephone Bay, na cratera interior da ilha, mal podia acreditar que não estivesse sonhando.

De um modo engraçado, alguns dias para o sul, os votos do belga do pequeno *Belle Étoile*, que eu visitara em Punta Arenas, se cumpriram. Quando atracados no cais de Palmer Station, base americana na ilha Anvers, adiantei-me correndo para tomar uma das amarras de um veleirinho branco que acabava de atravessar a passagem de Drake e vinha, em sua primeira escala antártica, encostar bem ao lado do

Rapa Nui — o próprio *Belle Étoile*. Ao me ver, num veleiro, e não mais num navio, um dos belgas, rindo, gritou:

"Conseguiu rápido o seu barco, meu amigo!"

"Não é meu!", respondi, e brinquei: "Ainda não!".

Durante oitenta e oito dias, até desembarcar em Santos, habitei um barco muito especial, que fui descobrindo pouco a pouco, me mostrou lugares distantes e incomuns, foi palco de intermináveis histórias e que decidi, custasse o que custasse, não deixar mais escapar.

Rapa Nui, máquina inspiradora, paixão irresistível que me fez acordar. Porque um dia é preciso parar de sonhar, tirar os planos das gavetas e, de algum modo, começar.

2

BARCOS SEM MAR

Éramos três agora e seguíamos para o Brasil. O João, após cinco meses a bordo do *Rapa Nui*, desembarcara na primeira cidade civil que tocamos, Ushuaia, na Terra do Fogo. Não houve meio de manter uma coexistência pacífica com Patrick e Gabi. Acidentes da convivência humana, muito comuns em barcos ou qualquer tipo de espaço confinado. Sobraram histórias sem fim. Algumas escabrosas — como ele dizia —, outras divertidas.

Num dia também escabroso, de mar forte, Patrick desligou o piloto automático para tomar o leme. Com a Gabi, subi o *spinnaker*, a imensa vela balão, mas não no momento ideal nem da melhor forma. Havia um problema na proa com um dos cabos que segura o braço do *spinnaker* — o burro — e o menor erro faria todo o circo desabar. O imenso balão colorido, indócil e desgovernado, nos arrastava em grande velocidade ondas abaixo fazendo tremer toda a mastreação. A Gabi continuou na proa e eu corri para trás, para uma das catracas, nervoso, pouco experiente nessas situações e, ainda por cima, sem cinto. Não sei bem como aconteceu. Uma onda grande e atrevida colheu o barco por trás. Surfamos por alguns segundos e subitamente as vinte toneladas de alumínio azul do *Rapa Nui* se desgovernaram, o barco "atravessou" entre as ondas, com um violento golpe no costado. Os mastros, com velas e tudo, deitaram e eu fui arremessado no ar. Cair no mar, de um veleiro com balão em vento a favor, por mínimo que seja, é uma das mais seguras maneiras de se encerrar a carreira. Em alto-mar, até abaixar velas e tornar o barco apto a retornar, contra o vento, para iniciar busca, são necessários muitos minutos. Com ondas, um homem na água só é visto alguns segundos por minuto, mesmo a curtíssima distância e em bom tempo. Um único minuto de afastamento é fatal.

O tempo não estava nada bom e simplesmente não era o momento de cair na água. Mas eu já estava voando de costas para fora do barco e mergulhando com botas e roupas e tudo em pleno Atlântico, a uns dois metros do *Rapa Nui*. Não é possível! Não pode ser verdade! Virei-me, em pânico, ainda mergulhado e, antes de conseguir tirar a cabeça para fora da água, toquei com as mãos o fundo do casco do *Rapa Nui*. Toquei e senti o barco afastando-se com rapidez. Não havia onde me segurar, apenas sentia o casco, a minha salvação, deslizando, indo embora.

Tantas vezes eu havia lido essa história num livro francês de jurisprudência marítima e só então senti todo o seu horror. Tocar a salvação e não poder segurá-la. No Mediterrâneo, em 1974, quatro casais a bordo de um iate, construído pela Baglietto, decidiram, em plena calmaria, parar para nadar. Pularam todos na água sem perceber que ninguém baixara a escadinha de retorno. O barco foi encontrado dias depois, na mesma calmaria, com o casco arranhado de unhas e os corpos em volta. Morreram todos tocando o barco, tentando desesperadamente subir a bordo. No processo que se seguiu, acusações de culpa foram disparadas em todas as direções: o primeiro que pulou, o último que não abaixou a escada, o comandante que autorizou, os construtores que não previram uma escada fixa, a legislação que não a exigia... pouco importa. Naquelas frações de segundo lembrei-me desse episódio absurdo. E eu não tinha onde me segurar.

Enquanto isso, a onda que deitou o *Rapa Nui* arrebentou e subiu pela parte traseira do barco. Ainda dentro da água, a minha mão direita que deslizava pelo casco enroscou-se em algo. O último passa-cabos na popa. Saí arrastado da água, sem as botas, e com a mão esquerda me agarrei na borda, pulando, como uma mola, para o convés. É incrível, mas por segundos eu estivera longe e de alguma maneira fora agarrado — salvo — pelo próprio *Rapa Nui*! Patrick continuava paralisado de susto e incredulidade. Eu fiquei com o braço roxo, descalço e com uma dívida difícil de ser paga.

Naquele dia começou uma nova viagem. Recompondo-me do susto e ainda faltando setecentas e poucas milhas para chegar a Santos, mergulhei num grosso livro que ganhei da querida Lucia, em Palmer Station. Falava sobre Ernest Shackleton e sua segunda expedição à Antártica, em 1908-9, quando tentou alcançar o polo sul geográfico. Desta vez, comandando sua própria expedição e não mais sob as ordens do eterno candidato da Royal Geographical Society à conquista do polo, o capitão Robert F. Scott.

Partindo do cabo Royds, na ilha de Ross, onde ergueu sua base, após uma interminável série de contratempos, Shackleton e três de seus homens caminharam durante cento e vinte e oito dias, de 29 de outubro de 1908 a 5 de março de 1909, pelo interior do continente. No início, em busca do polo; depois, para salvarem as próprias vidas. Descobriram o caminho e a passagem — a geleira Beardmore — para o imenso platô polar a onze mil e duzentos pés de altitude. O caminho que seria seguido, três anos mais tarde, por Scott. A apenas noventa e sete milhas do polo, Shackleton decidiu voltar para não perecer no retorno. Mil quatrocentos e setenta e sete milhas de desesperada caminhada em terreno desconhecido para perder — por tão pouco — o sonho maior de todos os exploradores. A mais difícil de todas as decisões: voltar atrás — não para desistir, mas para começar de novo. Recomeçar. O carismático irlandês, nem sempre bem preparado, jamais alcançaria seu objetivo, mas em sua vida nunca desistiu de tentar. Soube transformar derrotas e desastres numa história de otimismo e sucesso. Nunca perdeu um só homem sob seu comando e nunca seguiu o caminho que outros lhe indicaram.

A construção do meu futuro barco estava a caminho, mas ainda havia tempo para voltar atrás. Não me agradava mais a ideia de refazer um projeto pronto. O *Rapa Nui* era um barco formidável, fora do comum. Ainda havia nele segredos que não vasculhara, uma infinidade de soluções técnicas e mesmo erros interessantes que não pretendia repetir. A simplicidade do sistema de leme e de governo automático, a robustez e o pequeno calado eram o que eu buscava. Mas os dois mastros e os controles separados não eram ideais para se navegar sozinho. O arranjo de convés e mastreação poderia ser melhorado, e uma cabine de comando fechada com trezentos e sessenta graus de visibilidade, beliche e todos os instrumentos à vista, seria fundamental para as regiões de tráfego intenso ou povoadas de icebergs. De muitas maneiras, envolvido e interessado no veleiro azul, resolvi aceitar a proposta surgida numa das conversas com Patrick sobre o futuro, e ficar de uma vez por todas com o seu barco.

Teria seis meses para solucionar este problema e incorporá-lo ao meu plano. Mas o plano não seria mais o mesmo. Estava decidido a viajar só e para isso o *Rapa Nui* não era o barco ideal. Desde o início e em cada detalhe deveria pensar nos problemas de se navegar sem tripulação. Um projeto novo. Transtorno monumental, devolver toneladas de alumínio especialmente laminado pela Alcan, encomendar tudo outra vez; cancelar pedidos, refazer cálculos e estudos, levantar recursos em dobro agora... paciência.

Não pretendia lutar contra os elementos, desafiar o clima polar, sobreviver ao escuro e tenebroso inverno antártico. Não me impressionavam mais as histórias dramáticas de sofrimentos, de escapadas por um triz, de viagens que terminaram em fiasco. Eu acabara de escapar de um. Estudando relatos de expedições anteriores, somando a experiência a bordo do *Rapa Nui* e conversando com navegadores experientes, como o incrível casal Poncet, que invernou na Antártica em 1979-80 e retornou desde então todos os anos, ficou claro que não era nada impossível fazer uma linda viagem sem esse circo de problemas. Mas para isso era preciso estar preparado. Era preciso recomeçar. Não tinha a menor intenção de partir para uma aventura, uma talvez viagem, de não ter certeza de alcançar os lugares que quisesse, de não saber se, ou quando, voltaria.

Paciência, quanta paciência! Três anos se passaram desde o encontro na baía do Almirantado até o nascimento de um barco vermelho, armado em cutter, que ganhou — ao descer desajeitadamente a rampa de lançamento, no Guarujá — o nome de *Paratii*. Ao seu lado, testemunha silenciosa de toda a tempestade burocrática e tecnológica que acabava de terminar, repousava impecável a escuna azul *Rapa Nui*.

No dia 30 de junho de 1989, uma sexta-feira, dia da semana contraindicado pelos supersticiosos para o batismo de um barco ou a partida de um porto, nervoso, esqueci de passar a garrafa de champanhe para a Cabeluda, minha irmã, quebrar à proa. Nada grave, pensei; e, rápido, atirei a garrafa contra o casco. Entre as poucas testemunhas, outro barco interessante. Casualmente, na véspera, dia 29, o casal Patrick e Gabi chegara da França a bordo de seu barco novo, o *Fanfarron*, que atracou no mesmo e escondido estaleiro do canal de Santos, a Hanseática, a poucos metros do *Paratii* e do *Rapa Nui*. Encontro curioso como o que aconteceu na Antártica, três anos antes; agora, de três barcos de certa forma cúmplices entre si.

Tantos barcos eu conheci nesse tempo que provavelmente nunca tocariam o mar! Quantos! Fantasmas abandonados em estaleiros, sonhos esquecidos, ideias não realizadas, viagens imaginárias. Desse pesadelo eu estava livre. A minha nave vermelha, tocando pela primeira vez a água salgada, brilhava ao sol. Como a prova metálica de que valeu a pena não desistir. E começar outra vez, para não me tornar um barco sem mar.

3

PARTIR

Às 5:30 tocou o bip do meu relógio. Estava acordado, há horas talvez, aguardando a luz do dia. Abençoado relógio, não aguentava mais continuar deitado ali, com o coração batendo e a boca seca. Pulei da cama e subi para o convés. Na casinha da praia, o lampião continuava aceso, e a luz do mastro do *Rapa Nui*, ancorado mais para fora da baía, ainda estava ligada. Todos dormiam. Sentei-me na popa, molhada de orvalho, soprando entre as mãos uma xícara de café preto e sem açúcar, quando surgiu o Hermann. Trocamos um rápido "bom-dia". E só. Como nos tempos do remo, quando treinávamos pesado antes de uma competição importante. "Silêncio no barco!", era a ordem, "... e firme na água!" Mas desta vez não se tratava de um treino.

Ninguém conhecia ainda a data de partida. Eu deveria defini-la nos dez dias seguintes, a partir das condições de vento e tempo. Mas, durante a madrugada daquele domingo, último dia do ano, resolvi mudar de ideia. De algum modo, o Hermann pressentira o que se passava. As fitas que prendiam a vela principal já estavam soltas, o motor virando devagarinho e o guincho de recolhimento da âncora engatado. Com os primeiros raios da manhã, o mar vermelho-

-espelhado refletia o contorno das montanhas que protegem Jurumirim, e só os coqueiros mais altos alcançavam o sol que, pouco a pouco, ia penetrando a baía.

Lindo lugar, Jurumirim. Um porto natural cercado de matas pelos lados, com uma pequena prainha ao fundo onde, debaixo de coqueiros, fica a sede. Muitos deles, os menores, eu plantei quando garoto. No tempo em que a fazenda era ativa, o vale atrás da praia e algumas das encostas eram forrados de bananais. Com a chegada da Rio—Santos, os barcos bananeiros — *Grajaú*, *Meu Brasil*, *Fluminense* — desapareceram, sendo aos poucos substituídos pelo caminhão. Em Jurumirim a banana foi acabando e a mata fechando-se em volta. Não há estrada até ali. Todo acesso é feito por mar. Para Paraty, pela praia da frente, ou para Paraty-Mirim, pelo outro lado da fazenda, que toca a baía dos Meros. Não há luz também. As noites são iluminadas a lampião ou a vaga-lumes.

A minha canoa mais importante — *Rosa* — vive na praia, embaixo da velha mangueira. Gosto desse lugar, profundamente, mas pela primeira vez não queria estar ali. É difícil deixar um lugar que mora no coração, por tanto tempo. Precisava sair — rápido — da baía antes que os outros acordassem.

Ao saltar de volta para a canoinha, o Hermann notou sob a água transparente um cabo preso junto ao hélice do *Paratii*. Rápido, mergulhou e soltou o que ainda restava. Não tive tempo de agradecer.

"Te cuida, Amyr."

"Pode deixar."

Foi tudo o que consegui dizer enquanto a canoa se afastava para a praia.

Na verdade, já havia partido muito antes. Os últimos meses tinham sido infernais. Milhares, milhões de preparativos, papéis, acertos, problemas gigantescos e minúsculos que precisam ser resolvidos. E, à medida que o último dia vai chegando, vai-se partindo. Os meses vão se consumindo, a tensão aumentando, as últimas semanas, o último dia e, enfim, o exato e real instante de ir embora.

Mas o barulho da corrente trazendo a âncora me traiu. O Eduardo me viu quando estava na ponta da baía. Gritava algo que não podia ouvir. Segundos depois, vi os cabelos loiros da Cabeluda acenando do *Rapa Nui*. Mas já estava longe. Ufa! Um enorme nó na garganta, não virei mais para trás. Sem despedidas, melhor assim.

Liguei o piloto automático e abri as velas, a grande primeiro e em seguida as duas da frente. Incrível, mas tudo parecia funcionar. Voltei para a mesa na "torre" (o meu posto de pilotagem elevado), desdobrei a carta 19 002, o Atlântico Sul, e anotei, com pressa, a hora de saída — 9:01 GMT — na página 1 do diário.

O mar liso, com longas e suaves ondas, fazia o barco balançar levemente. Fui à proa e acabei de fixar firmemente a pesada âncora. Talvez devesse tirá-la, guardá-la no porão até a próxima vez em que avistasse terra. Eram cinquenta quilos, além da quilométrica e pesada corrente, mas resolvi deixá-la instalada caso fosse necessária uma escala de emergência.

Com os pés apoiados nas asas da âncora e as pernas contra o balcão, instalei-me na extremidade máxima, à frente do barco, imitando uma carranca do São Francisco, enquanto o *Paratii*, com todas as velas, seguia sozinho, automático, silencioso, o seu rumo.

Pouco antes das 11:00 GMT, ultrapassei a ponta da Joatinga, o cabo Horn paratiense, e então alterei o rumo para sul verdadeiro. Não, não era um passeio de alguns dias. Mar aberto por fim. À leste, a África. Ao sul, minha próxima parada, a península Antártica.

Ainda imóvel, na proa, fui seguindo com os olhos as últimas árvores visíveis da ponta que ia desaparecendo. Árvores. Quinze meses até a próxima árvore! Quinze meses, que eternidade!

Mas é gozado. Não era a distância no tempo que me fazia nervoso. Eu demoraria quinze meses para avistar uma árvore se tudo corresse bem, se não cometesse erros, se nada quebrasse a bordo. E isso é tudo o que desejava naquele instante. Porque barcos são seres imprevisíveis que às vezes gostam de inventar problemas ou mudar de rumo sem muitas explicações. Por uma única vez na vida desejei não ver árvore nenhuma, pelo menos antes do previsto. Ligar os coqueiros de Jurumirim às geleiras antárticas que me fariam companhia — sem escalas — até o próximo verão. Foi para isso que me preparara durante esses anos e que construíra com tanto cuidado o *Paratii*.

Duas vezes a data de partida havia sido adiada por um ano inteiro. Dois anos de atraso no total — um escândalo geral — porque decidi não fazer, em nenhum momento, concessões à segurança do barco e ao plano que havia desenhado. Paciência com o cronograma. Não estava disposto a me meter em aventuras e encrencas, sobretudo numa região em que o humor dos elementos não goza de boa fama. No final das contas, os dois anos se passaram, o escandaloso atraso foi esquecido. E eu parti como sonhara partir. Preparado até os dentes. Mas, Deus do céu, estava nervoso. Sabia que haveria com certeza muito mais problemas do que se pode imaginar sentado numa prancheta de escritório ou no convés de um barco que nunca deixou os trópicos. Durante esses anos de discussões, rabiscos e recomeços, entendi que o verdadeiro perigo de um plano está nos detalhes. Quais detalhes? Aí o segredo. Logo saberia. Deixei um bando de amigos, fornecedores e engenheiros malucos com esses detalhes, a tal ponto que brincar de naufragar o *Paratii* tornou-se o esporte predileto — após o expediente — do pessoal com quem trabalhava. Epidemias, maremotos, insanidade mental, corrosão galvânica, golpes políticos, o diabo. Curioso é que muitas ideias interessantes e detalhes engenhosos nasceram daí.

Não importa. Estava nervoso e tenso. Eu nunca comandara sozinho um barco deste tamanho. Vinte e cinco toneladas, vinte e um metros de mastro, três anos e meio de autonomia completa a bordo. Uma nave vermelha avançando, dia e noite, sem parar, para o sul.

Continuei no posto de "carranca" na proa admirando o avanço automático daquela estranha máquina de navegar, que seria minha residência por alguns bons verões e invernos. Não tinha certeza se a faria percorrer todas as linhas pontilhadas que cruzavam o meu atlas. Mas sabia que agora eu era perfeitamente capaz disso.

O terral transformou-se num tímido vento. O *Paratii* inclinou-se um pouco e ficou mais confortável. Desci atrás de um barulho estranho que vinha do banheiro da proa. A portinha da farmácia abriu-se e batia loucamente contra a parede. Fechei-a e quando saí — surpresa — não havia mais nenhum sinal de terra. Nada, apenas mar. Nem mesmo uns golfinhos de "boa viagem". Trezentos e sessenta graus de horizonte até que surgisse à frente uma ilha, continente ou, enfim, um iceberg. Horizonte imenso, mas temporário. Havia estimado em vinte e nove dias a travessia direta até a Antártica e, faltando apenas mar para chegar lá, interromper meu horizonte seria apenas uma questão de tempo. E trabalho.

Misteriosamente sumiu o nervosismo. Como se fosse uma costa ameaçadora que desaparece. O fato de sentar na "praça" com as costas no mastro, uma xícara nas mãos, mastigando um pedaço de chocolate, era o mais tranquilizador acontecimento do mundo. Única testemunha do meu horizonte, comemorei sentado, quieto, com a boca cheia, a minha maior conquista: partir. Ainda que minha viagem durasse apenas um único e mísero dia. Parti para minha mais longa travessia, e, mesmo que ela só durasse esse único dia, eu havia escapado do maior perigo de uma viagem, da forma mais terrível de naufrágio: não partir.

    Não estava partindo para uma viagem sem fim, vagando como um navio errante, um *Mary Celeste* abandonado e sem rumo ao sabor de ventos e oceanos. Tinha um lugar preciso para alcançar e um tempo certo para lá ficar, mas sabia que só quando retornasse, exatamente para o mesmo pedaço de areia que acabava de deixar, terminaria a viagem. Gozado, estava a menos de um dia de distância do meu objetivo e a mais de um ano e meio de viagem dele. Que brutal saudade!

    O sol tocou o horizonte às 6:15, hora do Brasil. Dei uma rápida olhada nas velas, regulei o despertador e instalei-me na cama para mais quarenta e cinco minutos de sono. Adormeci pensando num lugar duas vezes mais longe do que a Antártica — Jurumirim —, feliz da vida. Porque, no fundo, eu parti para voltar.

4

NO PAÍS
DOS ALBATROZES

Em segundos o pontinho branco e nervoso que se escondia entre as ondas à frente definiu-se e, ZAP!, passou bem ao meu lado. Uma lâmpada! Uma lâmpada elétrica à deriva! Que delícia, a duzentas milhas da costa identificar uma simples lâmpada, logo na manhã do primeiro dia do ano! Apesar do cansaço, reinava um fantástico bom humor a bordo. Sabia que até me habituar com esta história de acordar a cada quarenta e cinco minutos levaria um certo tempo, mas não há escapatória, é assim que se regula a vida quando se navega só. A cada quarenta e cinco minutos, a princípio com a colaboração de um escandaloso despertador, uma rápida olhada nos instrumentos, no comportamento das velas e no horizonte, à caça de indesejáveis navios e, em seguida, voltar ao travesseiro para mais uma sessão de sono. A grande diferença é que eu podia fazer toda esta operação sem ter de vestir botas e casacos e sair para fora com os cabelos voando. Não precisava nem mesmo descer da cama. Dormia não mais dentro do barco, numa cabine convencional, mas numa cama especialmente desenhada e instalada na "torre" de controle, com sete janelas panorâmicas ao redor, a portinhola de entrada logo ao lado, e uma gaiuta para — por que não? — olhar as estrelas. Genial invenção de um amigo cineasta — o Zetas —, numa visita que fez durante a construção do *Paratii*.

"O que você vai fazer aí, nesse espaço?"
"Uai, não sei, olhar o mar", respondi.
"Por que não uma cama de pilotagem com vista para o mar?"

Pronto, nasceu a minha cama panorâmica escamoteável e autoajustável. "Aqui, terra de navios cegos, quem dorme com um olho aberto é rei, dorme em paz", pensei, com o nariz colado na janela, enquanto aguardava o despertador.

A lâmpada à deriva, um dos cabos do mastro — uma adriça — que se soltou e poderia ter aprontado uma linda confusão ou um eventual navio suspeito não escapariam com facilidade ao meu controle. Cantarolando uma daquelas musiquinhas horrendas que grudam na cabeça, pulei da cama para providenciar o café da manhã. Não havia resoluções de ano-novo, projetos importantes, planos para o futuro. Nada disso. Apenas estava contente. Não houve nem mesmo comemorações. Durante o réveillon, o único acontecimento notável, um navio em rota perigosa, que surgiu quando faltavam três minutos para a meia-noite. Livrei-me dele sem problemas, devolvi o comando do barco ao "piloto pardo" e mergulhei em mais quarenta e cinco minutos de sonhos e pensamentos distantes dos quais não me lembraria logo a seguir.

Na terça-feira, segundo dia, após insistentes calmarias entrou um sueste bastante determinado e eu contabilizei mais duzentas e uma milhas para o sul. Nada terrível. O *Paratii* estava pesado, carga máxima e lotação esgotada, mas andava como um bólido. Durante as semanas de carregamento na Hanseática, cada item que ia sendo acomodado no interior afundava um pouco a linha-d'água do barco e apertava mais meu coração. Alguns itens eram assustadores: três metros cúbicos de combustível para aquecimento; uma tonelada e meia de mantimentos; quinhentos quilos de livros; quase dois quilômetros de cabos diversos de atracação; trenós; botes infláveis; cálculos de cubagem volumétrica, roteiros de utilização de peças sobressalentes, mapas de localização, um pesadelo. Interminável operação que milagrosamente terminou com relativo sucesso. Pelo menos não se via nada solto ou fora do lugar no interior. E, mesmo com tanto peso, avançávamos lindamente.

Resolvi festejar o bom rendimento, que não seria eterno porque certamente encontraríamos vento no nariz — com um almoço caprichado. Mas a festa quase terminou em catástrofe.

A cozinha fora desenhada para funcionar em qualquer ângulo de inclinação. Mesmo com o barco deitado, sempre oferecia um lugar onde me segurar com uma mão e ainda salvar a outra para cuidar de panelas e apetrechos. Com as costas apoiadas na parede e o joelho na bancada, eu não conseguia encontrar o acendedor automático, que deveria ter voado para algum canto. Abri, então, uma das gavetas procurando fósforos e, no momento de riscar o palito, senti um cheiro estranho. "Minha Nossa Senhora! Gás!"

Optei por gás para a cocção por diversas razões, mesmo sabendo que em barcos o seu uso requer cuidado redobrado. Sendo um elemento pesado, ele se acumula nos porões e simplesmente não pode vazar. Distraído e contente durante o último ataque noturno à cozinha, deixei todos os botões na posição vertical, como sempre fiz em casa ou morando no *Rapa Nui*. Mas, no "moderno" fogão do *Paratii*, a posição desligado era na horizontal. Pior, não fechei os registros de segurança como deveria sempre fazer. Com a distração, os porões se encheram de gás à noite e, se tivesse riscado o palito, terminaria minha longa viagem voando magnificamente em pedacinhos ainda no litoral de Santa Catarina! Pequena desatenção que poderia custar muito caro. Perdi a festa, a fome, duas horas bombeando gás para fora, e tomei a firme resolução de não voar em pedacinhos no futuro.

É estranho, mas há muito mais perigos dentro de um barco do que no pior mar que ele possa navegar. Incidentes domésticos, um nó malfeito, um registro aberto ou uma decisão precipitada. Lá fora apenas mar: ondas e vento, nem sempre mal-intencionados, às vezes grandes mamíferos e outros animais em harmonia perfeita. O calejado argentino que conheci no estaleiro e que trabalhara na construção do *Legh II*, do incrível Vito Dumas, o primeiro veleiro a fazer uma circunavegação pelas latitudes difíceis, tinha razão. No mar não há grandes ou pequenos, todos os problemas são iguais e, se uns são mais perigosos, são sempre os mais banais. Aqueles que não chamam a atenção.

Numa rápida manifestação do sol, próximo do meio--dia verdadeiro, consegui capturá-lo no meu sextante velho e calcular a latitude meridiana, apenas para checar o instrumento e os meus conhecimentos de navegação ainda meio enferrujados. 26°18' de latitude sul, não muito longe da posição obtida — em segundos — com essa pequena maravilha da eletrônica, um GPS portátil, que em geral ficava na mesa de navegação. Pretendia continuar para o sul, por fora da plataforma continental, onde as sondagens caem rapidamente dos duzentos para os três mil metros de profundidade, mantendo assim uma distância folgada da costa sul-americana até a altura das Falkland. A partir daí, voltaria a me aproximar da extremidade da América do Sul para entrar na fria passagem de Drake. Esses nomes no entanto soavam muito distantes no tempo. "Se tudo correr bem, um dia desses chegamos lá." Mas, entretido num universo de pequenas atividades entre os intervalos de sono, e ainda desfrutando seminu de temperaturas tropicais, pouco pensava nos dias futuros.

A 11 de janeiro, com vento de sudoeste e mar não muito acolhedor, resolvi dar férias ao "piloto pardo", meu eficiente piloto eletrônico, e substituí-lo por um sistema mecânico de governo automático, o leme de vento. Uma encantadora peça de fina e precisa engenharia que mantém o rumo em função de um ângulo com o vento, corrigindo o leme principal por meio de um servopêndulo logo atrás. Meio complicado de se descrever, mas muito atraente de se observar em funcionamento, o meu leme de vento ganhou, não sei por que, o nome de Florence. Talvez por sua elegância e sensibilidade ao conduzir o barco. E me deu grandes alegrias ao mostrar que, mesmo com mar muito forte ou em quase calmarias, nunca perdia o controle. Ou entrava em síndrome de zigue-zague, como fazem alguns de seus colegas humanos. Pilotos automáticos e lemes de vento são a cruz da navegação em solo por longas distâncias e eu estava contente, apesar do vento contrário, de ter acertado e podido, até então, ficar afastado do leme. Distância do leme, o grande prazer de viajar num barco solo. Que inútil tarefa passar horas e horas na roda de leme obedecendo cega e mecanicamente a um ponteiro magnético. Não e não. O que me encantava era montar a navegação, decidir rotas e rumos e apenas sugeri-los ao meu barco, enquanto ia cuidar da vida, olhar para o mar, dar uma volta na praça ou apenas pensar.

Ao anoitecer continuava andando rápido. O vento, enfim, virara para o norte e agora o *Paratii* descia as ondas em grande velocidade em vez de ir contra elas. A Florence, precisa no leme, enquanto eu reduzia a vela grande em mais vinte por cento. A lua não saíra ainda e, no completo escuro, a espuma das ondas e a esteira branca que iam ficando para trás transformavam-se em formidável espetáculo de luz. Uma impressionante ardentia. Sentado num cantinho, do lado de fora, observava os clarões esverdeados ao redor, pontos luminosos em todas as direções. Quando a lua surgiu cheia, a fosforescência esverdeada sumiu, tomada pelos reflexos do luar. Foi minha primeira noite de lua plena e céu todo claro. Aproveitando a luz noturna, inaugurei o casaco vermelho de mau tempo, com cinto de segurança incorporado, e, numa rápida manobra, reduzi um pouco mais as velas. Mas não voltei para dentro. Continuei no mesmo cantinho apreciando o espetáculo: o mar atormentado desafiando um céu tão pacífico e estrelado.

Há alguns dias apenas eu teria engolido em seco ao descer e subir ondas desse tamanho. Agora, secretamente me deliciava. Ia aos poucos ganhando confiança no *Paratii*, errando menos nas manobras e me habituando ao meu imenso e, às vezes, agitado quintal. Vivia num hábitat novo, em permanente movimento, e mal me dei conta da velocidade fantástica com que os dias corriam. Estava em águas internacionais. O Brasil ficara longe, para trás, ou melhor, para cima, e os pequenos maus humores do tempo e indecisões do vento não incomodavam como antes. Nessa noite acumulara muitos pedaços de sono e resolvi não dormir até clarear.

Esfregando as mãos entre os joelhos, com a gola do casaco fechada, protegendo nariz e orelhas do vento frio, quase não mexi a cabeça até tomar um susto. Um vulto enorme e rápido parou no ar. Bem à minha frente, assim que o dia nasceu. Uma visita muito especial.

A passagem das zonas subtropical e temperada para a zona subantártica não é apenas uma travessia de linhas geográficas. É uma mudança de mundos. As águas de azul profundo e límpido, pobres em plâncton e pouco habitadas ganham cor para o sul. Tornam-se ricas e densas. A paisagem oceânica se transforma. Temperatura, tamanho das ondas, direção dos ventos, velocidade das variações barométricas são alguns sinais. Mas o mais visível e impressionante indício de transformação é a presença crescente de aves.

Acabava de passar o paralelo 40° Sul, a latitude dos *roaring forties*. Navegação a caráter, com o protocolo que a situação exige: uns trinta e cinco nós nor-noroeste. Estava sendo solenemente recebido pelo verdadeiro senhor desse mundo de vento, um *wandering albatross* adulto, o ser mais belo e soberano que conheço. Para navegadores do passado, ave maldita, pois vive nas altas latitudes, entre 30° e 60° Sul, no cinturão de ventos fortes que circunda a Antártica, zombando de tempestades com mais graça e majestade quanto mais forte o vento. Podem alcançar três metros de envergadura, viver mais de setenta anos. Quatro espécies principais nidificam nas ilhas subantárticas, um ovo por vez, um filhote que recebe trezentos e cinquenta dias de cuidados no ninho, até estar, em abril-maio, suficientemente plumado para enfrentar seu primeiro inverno.

O meu visitante, num voo impecável e preciso, me recebeu em seu país. Por duas vezes contornou o *Paratii*, mas, coisa rara, foi obrigado a bater as asas e desajeitadamente pousar. Começavam os seus problemas: o vento de repente diminuiu e ele seria obrigado a aguardar, pousado n'água como um mortal comum.

Mas, assim que eu me aproximasse, ele decolaria, correndo desesperadamente sobre a água até alcançar velocidade, para se colocar no meu caminho mais à frente. Orgulhoso, não aceitou as bolachas que eu lhe atirei. E, virando-se na minha direção, apenas acompanhou a passagem de um estranho veículo vermelho que não podia voar. Por muito tempo ficamos nos cruzando e observando até que ele resolveu seguir seu caminho. Muitos outros viriam depois, quase sempre solitários, às vezes estacionados no ar, tão próximos que eu pensava poder tocá-los. Ou voar. Não seria preciso. Estava voando desde que deixei Jurumirim, no rumo sul, e decidido a só pousar quando encontrasse uma pequena baía chamada Dorian, além do país dos albatrozes.

5

GELOS VERMELHOS

PAPA-YANKEE-DOIS-KILO-ALPHA-QUEBEC.
PAPA-YANKEE-DOIS-KILO-ALPHA-QUEBEC.
PAPA-YANKEE-DOIS-KILO-ALPHA-QUEBEC-MÓVEL-MARÍTIMA.
É... PA/PA - YAN/KEE - DOIS - A/MÉ/RI/CA - RO/MA - SAN/TI/A/GO/SÃO/PAU/LO - QUE SINTONIZA NO HORÁRIO COMBINADO.
VOCÊ ESTÁ POR AÍ, AMYR?

Opa! Lá estava o Álvaro, pontual como sempre, chamando de São Paulo. Correndo para anotar a última leitura do barógrafo/termógrafo, pulei na cadeira giratória em frente à mesa de navegação — onde estava o rádio —, a lapiseira nos dentes e um papelzinho com os dados na mão. Meu Deus! Esqueci de ajustar a antena na nova frequência! "Um segundo, Álvaro, um segundo..." Três toques no rádio, uma rápida sintonia e pronto, começava mais um QSO. Eu sempre ficava nervoso durante os contatos, mas o Álvaro, paciente, já sabia disso. Passamos para a faixa de quinze metros, o Brasil já estava muito longe. Eu havia deixado as Falkland a leste da minha rota em direção à extremidade sudeste das Américas, a ilha dos Estados.

No último contato, quatro dias antes, ainda estava em dúvida se passaria entre a ilha e o continente pelo canal de Le Maire, ou por fora da ilha, e, por segurança, pedi uma confirmação da tábua de marés argentina.

Eu já atravessara o canal uma vez, a bordo do *Rapa Nui*, quando por uma semana ficamos ancorados na paradisíaca baía Tethis, do outro lado da ilha, comendo *mejillones* até não poder mais. A navegação por ali pode ser muito traiçoeira. Existe sem dúvida um ganho em distância para quem se dirige ao Pacífico ou a Ushuaia, mas entrar no Le Maire fora da hora correta pode ser complicado. Há correntes de cinco a sete nós em sentidos contrários, de acordo com a mudança de marés, visibilidade ruim e um histórico de naufrágios nada animador. Quando a maré inverte e a corrente se opõe ao vento, em minutos tem-se a impressão de se navegar num panelão de água borbulhando.

O Álvaro me passou os dados, mas eu já havia decidido deixar a ilha dos Estados a oeste, não estava morrendo de vontade de provar mexilhões ou de avistar terra. A posição que mandei pelo rádio me colocava bastante próximo, e a minha preocupação no momento era deixar a ilha para trás. É estranho como a proximidade de terra rouba a paz de quem anda no mar. Perde-se uma parte da liberdade de alto-mar, de seguir por qualquer caminho.

Esta região em torno do cabo Horn, apesar da fama e das proezas que navegadores contam a respeito, é muito interessante. Quem se aventura pelos canais patagônicos e ilhas do cabo encontra uma infinidade de abrigos de espetacular beleza.

Após a abertura do canal do Panamá, em 1914, o trânsito de navios entre os oceanos Atlântico e Pacífico, dobrando o famoso cabo, caiu drasticamente. Veleiros e pequenos pesqueiros argentinos e chilenos são mais frequentes hoje do que navios, e o extraordinário número de naufrágios e vidas perdidas entre o Horn e a ilha dos Estados remonta na verdade à época da navegação à vela, anterior ao canal do Panamá e ao período de decadência dos últimos clippers, que, em más condições e manejados por tripulações reduzidas, tentavam competir com os fretes dos navios a vapor. Como a predominância de ventos e correntes é de oeste para leste, muitas das passagens em torno do cabo, do Atlântico para o Pacífico, o chamado *hard way*, foram recheadas de lutas desesperadas contra as ondas gigantes do Drake, a neve e os furiosos *westerlies*. Não foram poucos os navios que após semanas a fio de tentativas eram obrigados a desistir e a fazer uma volta ao mundo pelo outro lado — cabo da Boa Esperança e Austrália — para atingir o Pacífico.

A travessia no sentido difícil, de leste para oeste, no entanto, é menos difícil quando feita no inverno ou se, em vez de contornar a curta distância, um navio prosseguir diretamente para o sul, na direção da Antártica, até sair fora do país dos albatrozes e encontrar ventos mais moderados de leste. Esta tática, sem dúvida, foi o que trouxe os primeiros exploradores "acidentais" ao continente gelado.

Durante a noite, segunda, dia 22, passei a latitude 55°59' Sul, do cabo Horn, e oficialmente entrei no Drake. Estranha sensação. Sempre achei que, quando chegasse o dia de enfrentar o malfalado Drake, estaria com os dentes batendo e os punhos cerrados. Malditos livros que exageram o que é apenas grande. Estava com um pouco de frio, nada mais. Muito mais tranquilo do que quando passei pela Joatinga. Tudo ia bem a bordo. Mas não por acaso. Nos dias anteriores, eu instaurara um rigoroso inquérito administrativo no *Paratii*, aproveitando para reorganizar o almoxarifado e os depósitos a bordo. O assunto é sempre desagradável, mas capotagens acontecem mesmo em barcos grandes e eu preferia estar preparado e dormir tranquilo. Desde os bancos de baterias até a instalação do motor, tudo havia sido pensado para suportar uma pancada forte a cento e oitenta graus. O problema era a carga, que não deveria deslocar-se um milímetro sequer.

Nada, nem mesmo uma latinha de azeite na cozinha, deixou de ser preso, parafusado ou amarrado. Só eu e o livro que andava lendo, uma biografia de Mendelssohn — não sei por que — ficamos soltos.

Os albatrozes eram visivelmente maiores agora e mais ousados em suas acrobacias aéreas, passando a milímetros da ponta do mastro ou desaparecendo por minutos em espetaculares rasantes entre as ondas. O Drake é seu território, e o mar ali continua livre de qualquer interrupção em torno do planeta. Estas são as únicas latitudes onde é possível navegar eternamente a leste ou oeste num mesmo paralelo. Nenhum continente, apenas mar e vento num anel contínuo em volta da Antártica. É por aqui que se faz a menor (e mais turbulenta) circum-navegação da terra por mar. Como praticamente fez James Cook em sua segunda viagem com o *Resolution* e o *Adventure*, em 1772-74, sem contudo confirmar a existência da *Terra Australis Incognita*. Ou o almirante Bellingshausen que, em 1819-20, comandou o *Vostok* e o *Mirny*, rivalizando com o "foqueiro" americano Nathanael Palmer e o inglês Edward Bransfield a primazia de avistar o continente. Só em 1831 surge a primeira evidência, séria, da existência de um gigantesco continente ao sul e não apenas ilhas ou gelo, com a circum-navegação realizada por John Biscoe em seu brigue de cento e cinquenta toneladas, o *Tula*.

A passagem de Drake é na verdade o estrangulamento deste anel livre em torno do continente, não apenas oceânico mas também meteorológico. As depressões barométricas austrais concentram-se aí passando em maior número e velocidade, o que explica variações tão bruscas e frequentes do tempo.

Para desespero dos albatrozes e para minha completa surpresa, antes de começar o segundo dia no Drake, encalhei numa impressionante calmaria.

Nem uma gota sequer de vento, mar liso e punhados de albatrozes desconcertadamente pousados como patinhos. Menos de cem milhas ao sul do cabo Horn, lugar não muito agradável para ficar esperando, inativo. Ainda restavam quase trezentas e noventa milhas até a península Antártica, um pouco cedo para ligar o motor, pensei. Preferia economizar o máximo que pudesse de combustível para o aquecimento interno durante os próximos doze meses. No dia seguinte, brutal calmaria ainda. Nada pode ser mais irritante. Velas abaixadas, o Drake parecia a oleosa lagoa Rodrigo de Freitas. Não resisti. Liguei o motor e partimos em velocidade para o sul. Que absurdo, um dia inteiro plantado no mesmo lugar. Motorando, foi o "piloto pardo" quem assumiu o leme. Removi a parte submersa da Florence e fui me deitar. Era um dia de rádio, mas no último contato avisei o Álvaro que só voltaria a transmitir quando tivesse chegado. Às 16:27 GMT, faltando ainda longos dezoito minutos para o despertador entrar em ação, abri os olhos. Não conseguia dormir, apesar do hipnótico ronco do motor. Ainda deitado, percebi no horizonte um objeto misterioso. Uma bandeira, talvez? Boia de pesca? O que seria aquilo? Deus do céu... um veleiro!!!

    Pulei da cama como um raio atrás dos binóculos quando ouvi pelo canal 16 do VHF um chamado em francês! Que incrível coincidência um encontro com outro veleiro em pleno Drake! Era o Eric, um suíço engraçadíssimo a bordo de um microscópico veleiro, *Theoros*, com a Marta, sua namorada, terrivelmente enjoada. Todo mundo na mesma calmaria. Não nos aproximamos e, como eles iam muito mais devagar, logo os perdi de vista. Ficou marcado um *asado de ternero* caso nos encontrássemos outra vez. Que festa! Subitamente o apetite e o bom humor produziram uma revolução na cozinha e uma fumegante feijoada com todos os possíveis complementos foi servida, desta vez na mesa de navegação, pois, apesar do tempo calmo, fazia um friozinho úmido lá fora.

Sonhava com a visão do primeiro iceberg e sabia que o dia estava próximo. Apenas desejava que eu não o encontrasse durante os quarenta e cinco minutos de sono. Descendo em latitude, os dias iam se alongando visivelmente e só havia pouco mais de um par de horas de escuro. O motor funcionou por dezoito horas antes que pudesse abrir outra vez as velas.

Na manhã de quinta-feira, dia 25 de janeiro, a temperatura da água caiu bruscamente, quase 3°C, acusando a linha invisível da convergência antártica, a fronteira física entre as águas subantárticas e antárticas.

Frio, cada vez mais frio, 4°C, e mar agitado por um vento este-sueste de vinte e cinco nós. Não se podia dizer que fosse um lugar lindo esse, mas pelo menos avançava rápido. Quando? Quando — um sinal de terra, ilhas, quem sabe gelo, qualquer coisa? Visibilidade duvidosa, céu suspeito, não conseguia ficar quieto num lugar. Instalei a chaminé do aquecedor, amarrada a um cabinho para não voar caso uma onda visitasse o convés; mas, não sei por que, não quis ligar o aparelho. Não podia estar longe, eu vinha descendo pelo meridiano 64° Oeste e a última posição indicava a latitude 62°53' Sul. Preparei uma bisque de caranguejo gigante, semipronta, que tomei incandescente, em pé, apoiado contra uma das janelas. O vapor que subia do prato fazia embaçar o "vidro" e a todo instante devia passar as costas da luva contra o plexiglass para enxergar a proa. Que saudades do tempo em que almoçava pelado no convés! Frio úmido e penetrante. Céu e mar da mesma cor, cinza carregado e, subitamente, enquanto esfregava um pano na janela lateral esquerda, um susto. Uma mancha no horizonte riscada de negro e branco imaculado, num impressionante contraste com aquele céu baixo. Uma ilha! Larguei o prato e o pano e saí voando para fora! Puxa vida! Puxa vida mil vezes! Uma ilha de verdade a 95°! A ilha Smith, talvez. Eram 21:28 GMT. Às 21:42, plotei uma nova posição na carta 3200: "Não há dúvida, não há praias nem coqueiros, só encostas nevadas e geleiras. É ela!".

Escolhi como porta de entrada na península Antártica o minúsculo arquipélago das Melchior, cem milhas ao sul, entre a ilha Anvers e a ilha Brabant, que formam o estreito de Gerlache. A partir daí, tomaria o canal de Neumayer, entre as ilhas Anvers e Wiencke, onde reside a pequena baía Dorian.

A primeira expedição a fazer o reconhecimento dessas ilhas foi a do jovem oficial belga Adrien de Gerlache, em 1897-99, e o seu navio, o três mastros *Belgica*, acabaria resistindo à primeira invernagem na Antártica, secretamente proposital. A bordo, entre outros que deram nomes às ilhas que eu logo avistaria — Danco, Wiencke, Arctowski —, estavam dois jovens que mudaram a história das explorações polares: o depois polêmico médico Frederic Cook e o genial e discreto norueguês Roald Amundsen. O livro da expedição, uma edição original raríssima preparada a bordo do *Belgica* e publicada em francês, em 1902, que por anos persegui em sebos e antiquários, estava aberto sobre a carta 3200.

Às 18:01 GMT do dia seguinte, a mesma âncora que eu suspendi vinte e seis dias antes em Jurumirim bateu no fundo transparente da baía Dorian. Ao ir descendo, a pesada corrente ainda mostrava vestígios de lama que tinha viajado duas mil e setecentas milhas para se dissolver naquela água tentadora e cristalina. A cortina pesada e escura do Drake subiu. Céu azul, um sol afrodisíaco, nada de vento. Com um pouco de paciência e os primeiros arranhões no casco, deixei para trás um monte de blocos de gelo "assinados" com a tinta vermelha do *Paratii* — o canal de Neumayer estava quase fechado de *brash-ice* — e ancorei lindamente. Como sonhava. Em paz.

6

PUPILAS QUADRADAS

Formidável algazarra em volta enquanto eu ia enchendo o bote inflável com uma bomba de pé. A cada sopro do fole um coro de gritos e gargarejos, uma verdadeira festa. Que delícia ouvir novos sons depois de semanas no mar. Sons de vida. Não que navegando se viva em silêncio, pelo contrário, o mar faz barulho, o vento mais ainda; o barco produz gemidos, estalos, rangidos. Aos poucos vai se desenvolvendo uma assombrosa capacidade para identificar ruídos: a folga no eixo do leme, o esforço de uma escota, as dobradiças de nylon da entrada, pequenos objetos soltos nos cantos mais improváveis, o baque surdo do óleo nos tanques de combustível — uma sinfonia estranha onde uma nota perdida pode ser um problema novo. Não os gentoos, os pinguins que cercavam a pequena baía Dorian. Os seus gritos eram como música alegre entrecortada de conversa alta. Mas, antes de fazer uma visita oficial, eu deveria terminar com o bote e passar pelo menos três longos cabos de amarração em terra. Separei alguns pedaços curtos de corrente para abraçar nas pedras e também tubos flexíveis com os quais iria "vestir" os cabos e impedir que eles se desgastassem em contato com as pedras. Nunca se sabe. Por ali, as calmarias não duram muito e eu preferia ter o barco absolutamente seguro em caso de um vendaval. Liguei o aquecedor pequeno que precisou ser calibrado de novo para funcionar, pois o óleo diesel nos tanques ficara mais denso com as baixas temperaturas. E só então, quando o foguinho azul e amarelo que se via pela porta de vidro começou a aquecer o interior do barco, pulei no inflável.

    Saí remando o botezinho em sua primeira viagem antártica, carregado de correntes, tubos e centenas de metros de cabos pesados. Horas de investigação para selecionar três pedras firmes próximas à água e instalar a teia de aranha que seguraria o *Paratii*. Sob a neve com certeza havia pedras melhores, mas teria que esperar o verão avançar um pouco mais para saber. Quando terminei, orgulhoso, a operação, subi pela encosta da baía andando pelas pedras e pisando forte sobre a neve seca só para ouvir o som de cuíca das botas afundando, e sentei-me numa pedra mais alta de onde avistava o estranho barco vermelho que acabava de chegar. Terra firme, sim senhor. Completamente firme!

    Os falantes habitantes da baía Dorian não se incomodaram com a minha presença. Fazia calor, ou melhor, sem vento e com sol forte, senti calor, tirei as botas, coloquei as meias para secar numa pedra ao lado e, com pés descalços, dedos abertos, apenas de camisa, joguei o casaco para trás e me deitei ao sol.

    Pensando bem, que linda viagem. Não devia favores ao tempo, pois enfrentara cinco depressões fortes em vinte e seis dias, mas simplesmente não passei por contratempos nem sofrimentos, lutas caóticas com velas rasgadas, banhos gelados no convés, nada disso. E, no fim, uma chegada precisa e tranquila. Talvez a preparação do barco para o congelamento da baía não fosse tão simples, porém sabia que a etapa mais arriscada da viagem estava terminada. A próxima somente dentro de um ano quando o *Paratii* se libertasse do gelo e iniciasse o retorno. Seria então outra história. Chegar na Antártica, em perfeita ordem, foi o passo delicado e muito mais do que a metade do meu plano. Se sofresse, durante a travessia, uma queda grave no barco, um acidente qualquer, adeus viagem. Aqui, todo o tempo do mundo era meu para resolver encrencas que surgissem. Um inverno inteiro para fazer o que bem entendesse. Ou pudesse.

Empurrei o botinho de volta para a água, sob o olhar interessado de dois pinguins que inclinavam a cabeça para não perder nenhum detalhe do estranho objeto, e, remando, com calma, atravessei os setenta e poucos metros que me separavam de casa.

Muito gozado sentir o *Paratii* outra vez estável, sem o forte balanço com o qual por fim me habituara, e não mais precisar andar pelas paredes para ir de um lugar a outro, ou ter de viver sempre agarrado em algum suporte. Mais gozado era me sentar na mesa de navegação, plana, sabendo que a xícara de café não precisava ser encaixada ao lado do radar, que o meu *bol* de muesli e leite não decolaria sem aviso, ou que a lapiseira não se enfiaria atrás do rádio principal toda vez que o barco adernasse para a esquerda. Olhar pelas mesmas janelas de onde antes eu avistava as matas e montanhas de Jurumirim e encontrar agora geleiras, picos nevados. Em vez de ouvir os latidos na praia, acompanhar as discussões dos gentoos em cima da neve.

Distraído, olhando em volta e me deliciando com cada segundo do indescritível prazer que é chegar, quase tive um ataque cardíaco quando disparou o despertador. "Enfim! Enfim livre dos quarenta e cinco minutos!", gritei, enquanto escondia o aparelho na última gaveta da mesa de cartas náuticas. Com sono, mas não verdadeiramente cansado, resolvi ir dormir, antes mesmo de comer alguma coisa. Dormir não mais pendurado na torre de pilotagem, mas na cabine, numa cama de verdade, um sono merecido.

Sonhava com martelos! Milhares de martelos batendo no casco em meio a um formidável barulho de fritura, que diabos estava acontecendo? Acordei de madrugada e quando coloquei a cabeça para fora não encontrei o mar, mas apenas um imenso tapete de pedaços de gelo tocando-se entre si e batendo contra o casco. Pequenos gelos à deriva, vindos com a corrente do canal de Neumayer, a perder de vista. Picados e coloridos, alguns azulados e transparentes, outros de um opaco e leitoso branco. Madrugada ainda, mas claro como antes. O sol, baixo, tingia de vermelho-dourado as encostas da ilha Wiencke, onde estava ancorado.

A temperatura caiu depressa. Ao olhar para fora não consegui reconhecer o *Paratii*. Todo branco e enfeitado. Durante a breve noite, finíssimos cristais formaram-se em todas as partes expostas, cabos, estais, adriças, antenas, até na hélice do gerador eólico. Cristais de gelo, todos orientados na mesma direção, com quase cinco centímetros de comprimento, que, ao serem atravessados pelo sol ainda tímido, formavam milhares de microscópicos arco-íris. Nunca vi nada tão bonito em minha vida. Nem tive tempo para vestir as botas. Sentei-me fora, no convés, admirando a minha gigantesca árvore de Natal, ouvindo o efervescente borbulhar do "campo" branco que se formara sobre a água. O bote, que ficara amarrado na popa, no "cais" do *Paratii*, havia sido erguido pelos gelos e pedia para ser içado a bordo. Mas não quis tocar no cabo de içar, que vinha do topo do mastro e também estava "irizado", para não danificar os delicados cristais.

A máquina fotográfica! Puxa vida! Eu tinha que apanhar a máquina, o tripé e as lentes. O equipamento fotográfico estava fechado numa mala especial, dentro do barco, fixada na parede do salão. Mas, pensando bem, para que tanta pressa? Para que correr feito um louco só por causa de "daguerreótipos" que teria tanto tempo para fazer?

Era o primeiro dia na Antártica, haveria pelo menos outros trezentos e noventa pela frente e sabe-se lá quantos outros fenômenos, talvez ainda mais espetaculares.

Espetacular foi meu engano. Demorei treze meses para descobrir que o fenômeno dos cristais não se repetiria, que foi único esse dia como são únicos todos os dias de um ano antártico, todas as oportunidades e todas as coisas que acontecem nesse mundo. Treze meses para aprender que o chamado continente branco tem todas as cores e tão pouco branco, tanta aridez e vida ao mesmo tempo.

Não registrei — num filme, uma pena — a imagem da minha árvore de cristais. Apenas na memória desse primeiro dia, página 19, folha 10 do meu diário de bordo.

Uma nova página a cada dia a partir de então, anotando no lugar dos registros de navegação, agora inexistentes, os dados meteorológicos e climáticos da minha estação. Num instante uma semana passou e tantos acontecimentos que eu era obrigado a folhear as páginas da "memória" para saber o que tinha feito na véspera.

O primeiro radiocontato com o Brasil — após a chegada — foi uma festa. O Álvaro, inquieto com o silêncio de uma semana, e o Hermann, eufórico com o bom comportamento do *Paratii* em sua viagem inaugural. A querida Cabeluda me autorizou, enfim, a abrir uma caixa com presentes de Natal que ela e a turma da "base" em São Paulo tinham cuidadosamente preparado e alojado a bordo para só serem abertos aqui.

Um monte de bilhetes de amigos, brincadeiras e mesmo uma arvorezinha de Natal eu ganhei — para o Natal seguinte, sem dúvida. Havia presentes para o aniversário, nove meses à frente, e algumas cartas para serem abertas a cada novo mês. Muito engraçado isso tudo; notícias futuras que já estavam em minhas mãos, acontecimentos ainda tão distantes.

Encerrei o comunicado disposto a tomar um banho quente — cinematográfico, se possível —, mas para isso deveria ligar o gerador e, antes, corrigir um pequeno erro que fiz durante a travessia. Preocupado com um possível retorno de água salgada pelo escapamento do gerador, caso uma onda mal-intencionada violentasse o *Paratii* por trás, tampei a sua saída com uma rolha de madeira que inchara e não queria mais sair. Excesso de preocupação. A saída do escape estava submersa na popa e eu deveria deslocar pelo menos uns quinhentos quilos de mantimentos para a proa até ter acesso à bendita rolha. Aproveitei para organizar de uma vez por todas o depósito de víveres de inverno e o banho custou três dias de trabalho para se concretizar. Mas que banho! Barba feita, cabelos cortados e roupas limpas. Uma revolução!

Quando abri a gaiuta para deixar o vapor do banho sair, tomei um susto. Um lindo veleiro holandês com velas escuras estava ancorado a uns cem metros do *Paratii*, logo na entrada da baiazinha.

Dick e Elly, um admirável casal com fantástica experiência de mar, cuja trajetória eu voltaria a cruzar, como tantas vezes acontece no mundo dos barcos, exatamente na latitude oposta. Fui dar boas-vindas e ganhei um instantâneo convite para jantar a bordo. Camarões frescos, não sei onde arrumaram, divinamente preparados, um excelente Pouilly-Fuissé e um bocado de conversa. Esse primeiro encontro seria responsável por uma sensível antecipação dos planos que eu guardava para o futuro.

Um casal de avós, vivendo tão jovem e intensamente, põe qualquer um a pensar, a desembarcar dos sonhos e a tomar uma atitude. O *Jantine* partiria em dois dias para a Europa, via Falkland e Açores, e aproveitei para mandar com eles minha correspondência. Fiz presente de um par de genuínos remos de Guacá, esculpidos pelo Dito da Espada Velha com enxó e lixados com conchas e cacos de vidro. Entre os remos primitivos que conheço do mundo, não sei de peças mais belas e plásticas do que os remos de Paraty. Lindos de morrer e de imbatível eficiência. Eles adoraram. Partiram com os remos, meia dúzia de cartas e não deixaram mais de mandar notícias.

Poucos dias depois do *Jantine*, encontrei durante uma excursão com o inflável a Port Lockroy, duas milhas ao sul, o Eric e a Martita, do veleiro *Theoros*, que havia encontrado em pleno Drake. Um verdadeiro fenômeno. Já vi barcos precários e pequenos na vida, mas o *Theoros* era um recorde absoluto. Oito dias arrastando-se no Drake, mais do que puxar o rabo do demônio, e afinal ali estavam, placidamente ancorados no pior lugar possível, entre um monte de gelos cheios de dentes. Visivelmente assustada, Martita, que até duas semanas antes nunca sentara num barco, havia salvo a vida de ambos logo após o nosso fantástico encontro ao sul do cabo Horn.

"Eric! Oi, Eric! Hay algo que se mueve atrás!"
"Laisse moi dormir, nom de Dieu!"
"Pero Eric! Hay algo raro que se mueve, venga, venga!"

Incrivelmente, na mesma calmaria, o leme se partira e estava pendurado por uma mera linhazinha. Se o tivessem perdido, eles estariam, na melhor das hipóteses, repousando a mais de mil e quinhentos fathoms de profundidade.

A vontade de algumas pessoas faz milagres e muitos barcos flutuarem.

A promessa do *asado de ternero* cumpriu-se magnificamente, e, durante duas semanas, às vezes atracados bordo a bordo, rimos até quase explodir. O Eric era um navegador-filosófico-contestador-radical e o seu barco também. Brigavam dia e noite — os três —, mas formavam um divertido trio.

As "forças misteriosas que comandam a fúria dos elementos e a ferocidade dos oceanos austrais" com certeza abriram uma exceção, pois o *Theoros*, numa época horrível, atravessou o Drake de volta para Ushuaia sem um arranhão.

Na terceira semana, as forças misteriosas vieram fazer uma exibição em Dorian. Bem que eu desconfiei. Sob um sol tórrido descobri, enfim, um lugar ideal para fazer água e funcionar como minha lavanderia-expressa. Entre pedras escuras, uma piscina rasa com água fresca e abundante, que deveria continuar líquida por talvez mais dois meses. Trabalhei a manhã toda sem camisa, lavando e dessalgando roupas de dormir, sacolas e casacos. Ao meio-dia, já tudo seco, quando começava a recolher os panos, o sol desapareceu sem aviso. O barômetro caía devagar e não me preocupei; em menos de meia hora apareceu um sopro discreto e em seguida vento. Vento cada vez mais forte. As pedras que havia escolhido para amarrar o *Paratii* pareciam firmes, o problema é que o barco estava orientado no sentido norte-sul. O vento entrou semilateralmente de sudoeste e logo se transformou em nordeste, com rajadas muito fortes. Os cabos nas pedras tensos como fios de violino, a corrente da âncora gritando a cada golpe de vento — um caos. O pior não era a força do vento, quarenta e cinco a cinquenta e cinco nós, mas as repentinas rajadas. O barco endireitava, os cabos afrouxavam-se e... TUMBA!, outra pancada. E de novo íamos para perto das pedras. Tenso, sem saber bem que providência tomar, liguei o motor para tentar fugir das pedras caso algum cabo se partisse. Gelos grandes e afiados começavam a entrar na baía e vinham se enroscar nos cabos. Alguns com dezenas de toneladas. O *Paratii*, preso num cabresto, se atirava de um lado para outro. O botezinho estava amarrado ao lado, com motor e tudo pronto para uma saída de emergência. Acabei me esquecendo por completo dele até que da janela vi um estranho objeto preto voando no ar, de cima para baixo, com um lindo motor Yamaha e um tanque vermelho pendurado. Meu Deus, um papagaio inflável! Voando para fora, agarrei-o ainda no ar, salvei o motor e o tanque, mas — tragédia — perdi um dos queridos remos de Paraty que ainda me restavam.

O iceberg gigante que estava encalhado há dias do lado de fora, além das pedras, inclinou-se um pouco e simplesmente implodiu em milhares de pedaços, formando uma onda que empurrou para dentro da baía outros milhares de pedaços que estavam tentando achar uma passagem entre as pedras da entrada. Esse *brash-ice* foi se empilhando no fundo da baía até fechá-la por completo e só então o barco — preso entre blocos de todos os tamanhos, prensados uns contra os outros — acalmou-se.

O vento durou até a manhã do dia seguinte, quando, exausto, soltei a mão do comando do motor para ir dormir. A temperatura voltou a cair, o barômetro acalmou-se e uma neve fina cobriu o convés e as pedras escuras ao redor.

A partir desse dia fiz um exame rigoroso nas pedras onde havia prendido os cabos. Uma delas, a "pedra sul", a segunda maior, soltara-se com as rajadas de sudoeste. A corrente que a circundava correu por baixo e o cabo escapou. Meu Deus! Que força para soltar uma pedra desse tamanho!

Adotei então um novo plano de amarração e plantei no seco uma "âncora de misericórdia", que trazia de reserva, a cento e cinquenta metros da proa, na direção exata de nordeste. Ficou muito melhor, mas só me sentiria aliviado após o teste da tempestade seguinte, que com certeza não demoraria muito.

20 de fevereiro. Anotação do diário: "Cada bom momento tem seu preço aqui". Puxa vida, que preço! Mas também vale o seu preço cada centímetro de sol e céu azul quando o mau tempo se vai. Dia ofuscante e cristalino, retornei a Port Lockroy com o botezinho. Quase não resisti à vontade de dar uma rápida nadadinha. Port Lockroy foi uma estação inglesa estabelecida em 1944, há muitos anos abandonada. Os pinguins literalmente invadiram os dois refúgios que permanecem em pé. Na ilha principal, uma enseada ao norte está repleta de ossadas, de todos os tamanhos, de baleias, que no passado eram aí arrastadas e desrinchadas. É o cemitério das baleias onde há, além dos pinguins gentoos, uma colônia de *cormaorants* de olhos azuis e sempre uma ou outra foca-de-weddell. Era o meu endereço favorito ao fazer visitas pelas redondezas, e um dos lugares que considerei para fazer a minha invernagem. Com apenas duas desvantagens: como o ancoradouro não é protegido de gelos grandes à deriva e, devido à forte correnteza entre as ilhas, provavelmente o mar demora mais tempo ou pode mesmo não se congelar pacificamente no inverno.

Estava impaciente para ver o *Paratii* de uma vez por todas preso no gelo e me livrar da preocupação com âncoras, cabos e pedras. Só não podia imaginar como, subitamente, o tempo se tornaria curto.

Durante o primeiro mês, fevereiro, me habituei com dias muito longos e a quase ausência de escuro. O tempo rendia e milhões de trabalhos foram feitos. Preparei dois depósitos de víveres e agasalhos para usar em Port Lockroy e na ilha Doumer durante o inverno. Montei a bandeja de coleta de petróleo para o projeto de análise de degradação de hidrocarbonetos que a amiga Márcia fazia na USP, consertei os dois botes de borracha que estavam cheios de furos. O bote pequeno, que eu batizei de Vagabundo, fora agredido por uma foca ou leão-marinho que escapou de ser flagrado. E o grande, reforçado, rachou bem nos reforços, pois, com o frio, o material mais espesso e forte tornava-se menos elástico, quebradiço. Interessante como no frio tudo tem uma medida precisa. E mesmo a fragilidade pode tornar-se mais resistente do que a simples força.

Estabeleci com o Álvaro um plano de radiocontatos semanais; um comunicado por semana, mas sempre em dias diferentes da semana e usando frequências e horários alternativos caso nos perdêssemos. Refiz uma vez mais o sistema de amarração dos cabos e constatei que era perfeita a ideia de protegê-los contra as pedras com tubos plásticos em vez de usar pedaços de correntes. Atracar é a matéria número um na arte de navegar na Antártica.

Inventei um sistema de tração autogovernada para rebocar com o bote Vagabundo gelos grandes e indesejáveis que eventualmente conseguiam entrar nos meus domínios e incomodar o *Paratii*. Para prender o cabo no pedaço de gelo a ser expulso, eu me servi de uma espécie de parafuso de gelo, usado em alpinismo. Organizei mais uma vez os depósitos de víveres, ferramentas e peças de reposição. E, por fim, me entendi com o aquecedor pequeno, que era mais sensível do que o principal, um modelo Reflex dinamarquês fantasticamente eficiente e econômico. Decidi continuar usando o pequeno enquanto a temperatura o permitisse, sobretudo por causa da janelinha para o fogo. Um prazer, todos os dias, após o expediente, sentar-me no banquinho de madeira em frente à luz amarela do foguinho, com um bom livro sobre os joelhos, as meias secando junto à chaminé, e umas fatias de queijo torrando na pequena chapa. As horas de escuridão aumentavam a cada dia e as tarefas se acumulavam. Água, refeições, manutenção dos motores e registros, limpeza dos aquecedores, anotações de dados, coleta de amostras consumiam um dia em segundos. E a dúzia de excursões maiores que pretendia fazer foram, em parte, adiadas para o ano seguinte.

Havia também as visitas. Cada visita uma festa. Dos oito veleiros que desceram à Antártica naquele verão, acabei encontrando cinco; o último deles, o *Oviri*, com o Hugo, também em solitário, que veio para invernar na ilha Pleneau, nas proximidades da base inglesa de Faraday. Dois barcos maiores que planejavam invernar e que gostaria muito de ter encontrado, um deles que conheci na África há muito tempo, terminaram desistindo.

Visitantes maiores, navios, que às vezes fundeavam perto da ilha Casabianca, em frente à baía Dorian, e desembarcavam, em botes infláveis, pesquisadores que eu "subjugava" para mandar minha correspondência.

E visitantes menores e mais interessantes, que anunciavam alterações na península Antártica. Focas-de-weddell e focas caranguejeiras, um reincidente e barulhento leão-marinho ou bandos de pinguins novos e de outras espécies que surgiam nas redondezas. Os filhotes de pinguins gentoos, meus vizinhos, habitantes da baía, grandes e gordos, ganhavam independência, pescavam sozinhos e aos poucos foram partindo, cuidar da própria vida. Alguns pinguins antarctica não raro surgiam nas pedras e agora muitos adélie, pequeno pinguim com cabeça toda preta e sem dúvida o mais intrometido da espécie Pygoscelis. Ainda não sabia se teria a companhia deles durante o inverno, pois a maioria dessas aves migra para o norte, só retornando no verão seguinte. A exceção é o majestoso pinguim-imperador que, contrariando todos os outros, põe os ovos, um único por casal, em pleno inverno sobre o mar congelado. Os machos, durante os sessenta dias de incubação, no pior período do inverno e sem se alimentar, seguram o seu único ovo sobre os pés e vão se revezando em círculos para substituir os que ficam mais expostos ao vento; enquanto isso, as fêmeas partem para o norte e só retornam com o nascimento dos filhotes. Uma pena, não encontraria os grandes imperadores. No entanto, o movimento dos engraçados adélie era o sinal da descida do sol para o inverno.

Um pequeno e elétrico adélie foi investigar a minha âncora "seca" na proa, e eu não resisti. O Villela, professor Villela, veterano amigo antártico, doutor em assuntos austrais e fisicamente não muito diferente de um pinguim, no último contato pelo rádio, um mês antes, comentou que os pinguins adélie tinham pupilas quadradas! Sob protesto e bicadas, agarrei o investigador de âncoras atrás de uma confirmação. Ainda não tenho muita certeza, mas efetivamente suas pupilas não eram lá muito redondas. Assim que o soltei, ele deu um berro e tranquilamente voltou a bicar a âncora.

Em março as temperaturas ficaram, enfim, negativas; o convés amanhecia coberto de neve e as pedras escuras da orla foram desaparecendo sob um novo tapete branco. A minha lavanderia secou, ou melhor, congelou por completo e a água passou a ser fabricada todos os dias a bordo, derretendo a neve sobre o aquecedor maior, que substituía o outro, mas que infelizmente não tinha uma janelinha de vidro por onde se admirar o fogo. O verão ia abaixando as cortinas. O último visitante humano foi o chefe da base Rothera, na baía Margarida, Pete Marquis, e sua equipe, a bordo do navio do British Antarctic Survey, o *Bransfield*, fechando a estação.

"Hope to see you alive next year!", brincou o Pete e me deu duas latas de cerveja.

Na primeira semana de abril testemunhei uma grande evasão entre os vizinhos gentoos e no domingo, dia 8, o *Paratii* amanheceu imobilizado numa placa irregular de vidro. A baía Dorian congelara.

7

NAVIOS FELIZES

Que delírio! As luzes da cidade! Paraty, Paraty, agora tu não me escapas. Ou não escapo eu. Não há mais como voltar atrás.

Abri a viseira do capacete com dificuldade. Estava tremendo de frio, batendo os dentes e começando a baixar. No escuro não sabia se encontraria um lugar para pousar na cidade. Talvez devesse ter descido na praia da Fazenda, ainda no estado de São Paulo, mas já era tarde. Não havia combustível para voltar. O casaco, o mesmo casaco vermelho de outras encrencas, fechado até a gola, já incomodava o meu queixo de tanto olhar para baixo procurando uma estrada, as luzes de um carro ou uma vila no meio do escuro. Que ideia! Deus do céu, que ideia! Com o nariz pingando e as lágrimas geladas sopradas pelo vento, correndo pelos cantos do rosto, quase podia sentir o bafo quente da baía logo após passar a cadeia de picos da divisa. O único problema era achar um cantinho onde pousar. O motor virando devagar, a asa firme, com apenas uma das mãos comandava o trapézio, com a outra me segurava no assento.

Havia decolado do campo de bola lá no estaleiro, em Guarujá, há mais de duas horas, só para mostrar a um amigo como funcionava esta geringonça voadora, uma asa-delta com um motorzinho.

PARATI I

    Não consegui pousar de novo e resolvi continuar. Em Caraguatatuba o vento acalmou, poderia descer, mas por que não seguir em frente, até Paraty?
    A quinhentos metros de altitude mais ou menos, decidi contornar a cidade e descer na rua Fresca, atrás de casa, onde os postes e fios elétricos ficavam afastados. Trezentos metros. Descendo, duzentos. Tudo escuro. O cais e todos os barquinhos, as luzes da ilha das Cobras; não havia vento, muito bem, de volta para o cais. Uma rasante sobre o posto de gasolina apagado, a rua Fresca... e... TUM, TUM, TUM, chão. Pouso perfeito. Que delícia. Parei na porta da garagem da dona Maria. Guardei a asa e fui a pé para casa, a cinquenta metros, feliz da vida, segurando meu casaco na mão.
    Manhã seguinte, muito cedo, sábado, não resisti. Parti outra vez, antes que me fizessem muitas perguntas. Voltar para São Paulo mas pela serra de Cunha, que estava livre de nebulosidade. Sol gelado no alto, passei sobre Jurumirim, fiz uma volta sobre a querida baiazinha, três fotos com a pequena câmera que estava no bolso, e fui subindo em círculos para alcançar altura.
    A uns dois mil e quinhentos metros, muito frio, a então pequena Paraty foi ficando para trás da serra. Até aí, se parasse o motor, não haveria problema para retornar planando e pousar no mar. Dali em diante, contudo, sobre a serra da Quebra-Cangalha, não seria tão divertido cair. Não importa. Estava muito alto e o bichinho barulhento atrás fazia um ronco honesto.
    Duro de frio, os dedos congelando apesar das grossas luvas, ouvi de repente um monumental estalo e em seguida o motor parou, deixando apenas o zunido do vento. Minha Nossa Senhora! Não! Não é possível! É demais! Antes de entender o que se passava, vi, no lado direito da asa,

um rasgo em L sendo aberto aos poucos por um cabo preto! Mas de onde? Que raio de cabo é esse? Soltei o comando, o cinto de segurança e me virei para trás. O cabo do acelerador havia se partido, enroscara-se na hélice e, atirado contra a asa, começara a abrir o rasgo. Abri o cinto de segurança e, de costas, agarrado ao eixo do assento, arranquei e atirei longe as luvas. Embaixo, no vazio, montanhas, fazendas, girando em círculos. Estava lentamente caindo em parafuso. Que fazer? Talvez tentar achar bem depressa um campinho para pousar. Ou então, arborizar. Não, não havia campo nenhum, apenas mata fechada. Melhor tentar fazer o maldito motor funcionar. Eu ainda tinha alguns minutos antes de chegar ao chão. Consegui fazer um nó no cabinho que restava no carburador, mas onde achar um outro cabo, cordinha, fio, sei lá... qualquer coisa para emendá-lo??? Puxa, o canivete preto no bolso, talvez se cortasse uma tira de pano das minhas calças! Terríveis segundos até abrir, com os dedos insensíveis de frio, o canivete, mas não havia tempo para cortar calças nem nada. Vi então a maquininha fotográfica e a sua correia preta, ela mesmo. Cortei-a, dei um lacinho marinheiro — um lais de guia — em cada ponta, prendi no cabo que restava do carburador e sentei-me. Tomei o comando. Mas a emenda ficou curta. Droga! A mata aproximando-se mais e mais, turbulência no ar, tudo balançando — o chaveiro! O chaveiro do meu cinto, com o mosquetão, que ganhara do Hermann! Enfiei o mosquetão no lacinho da correia, as chaves na boca; puxei com os dentes e o motor acelerou! Faltavam duzentos metros para entrar nas árvores! Acelerando com a boca cheia de chaves, subi por cima das montanhas, ganhei altura até acalmar a turbulência e os meus nervos. E, uma hora depois, pousei lindamente no vale do Paraíba, perto de um telefone público. Como sempre, o Hermann veio me buscar. Rimos um bocado da história que poderia ter custado uns bons arranhões e alguns dias perdido no mato.

Um belo susto. Salvo pelo canivete preto e pela correia da máquina fotográfica, essa é boa!

Aventura? Não. Definitivamente não se podia chamar este incidente de aventura, perto do que acontecia então. A construção do *Paratii* já seguia a todo vapor, mas o item mais importante e delicado a ser providenciado, a mastreação, ainda não existia. Ou melhor, existia, há um ano e meio, um supermastro fabricado com especiais cuidados na Proctor, na Inglaterra. E havia exatamente um ano e meio, dezoito meses, que eu lutava como um desesperado contra problemas burocráticos de importação. Pois me metera na errante aventura de fazer uma importação regular, sem intermediários fantasmagóricos, agentes alfandegários ou despachantes. Despachantes de todo tipo: folclórica instituição brasileira sem a qual a vida é uma verdadeira aventura.

Na segunda-feira, após o susto aéreo, recebi afinal a autorização para retirar o bendito mastro que tantas discussões causou. Discussões técnicas também. Eu queria um mastro anodizado em preto. O que significou um considerável transtorno. A anodização foi feita na Holanda, o transporte uma complicação, e os palpites contrários um inferno. "Por que preto?" "Para que anodizações e complicações?" Por uma razão simples que não tinha certeza se iria funcionar. Mas não custava tentar. Durante a grande e única tempestade a bordo do *Rapa Nui*, vi seus mastros se cobrirem de gelo. A grande quantidade de gelo travou as velas no lugar, impedindo que fossem erguidas ou baixadas e, pior, acumulando peso. Um perigo para a estabilidade de um veleiro. Pensei, então, que, se o mastro fosse de uma cor não refletora, ele absorveria calor — da luz —

suficiente para não permitir o acúmulo de gelo, ou o conhecido fenômeno *icing*. "Um mastro solar", eu brincava. Todo preto. Uma ideia cuja utilidade seria comprovada uma única vez, mas à qual eu seria eternamente grato.

Aventuras. Quem sabia de aventuras de verdade nesse tempo era o Negão e sua velha e gigantesca carreta Mercedes, que toda vez era acionada para transportar o barco que nascia ou pedaços do meu sonho. Foi o Negão que retirou o pacote de vinte e um metros de comprimento no terminal de contêineres n.º 2, em Guarujá. Não sabendo que se tratava de uma peça delicada, os tratoristas do terminal quase destruíram o mastro com duas empilhadeiras em alta velocidade. Um ano antes, quando precisei transportar o casco desde a caldeiraria em Rio Grande da Serra (São Paulo) até o estaleiro Dinieper, em Osasco, também foi o Negão que comandou a travessia noturna de toda a cidade de São Paulo, carregando o meu monstro de alumínio (com cinco metros de altura, cinco de largura e quinze de comprimento) sobre a velha carreta, fugindo de postos de guarda e viadutos baixos, empurrando cabos de alta-tensão, fios e semáforos para cima, andando na contramão em avenidas, subindo em calçadas e ilhas, um mirabolante trajeto que só os transportadores de turbinas, elefantes e gigantes conhecem. E, ainda uma vez mais, o *Paratii*, já pintado em vermelho, enfrentaria um rally de obstáculos rodoviários para chegar até o mar. Cento e dez quilômetros nas costas do Negão e seu caminhão. Quase três dias de viagem, em que simplesmente não consegui dormir.

Aventuras e aventuras. O fornecedor do hélice que, embora tivesse recebido o pagamento adiantado, atrasou a entrega durante noventa dias. Noventa dias, usando a cada dia uma desculpa diferente e mais original que a anterior. O barco e um exército de fornecedores impacientes aguardando a colocação do hélice para fazer o carregamento e os testes antes da data de partida, cada vez mais próxima. O barco no seco, pendurado na rampa, aguardando o bendito hélice prometido e jurado pela mãe do fabricante, todos os dias, para o dia seguinte. Até que um dia perdi a paciência. Conduzido pelo Toyota do Hermann (estava nervoso demais para dirigir), educadamente e sem escândalos, subi na mesa da secretária da fábrica de hélices — Hope — munido de um machado de excelente qualidade e ostentando na outra mão — caso houvesse alguma dúvida sobre as minhas intenções — aquele mesmo canivete preto.

O hélice, num passe de mágica e cortesia, apareceu. Terrivelmente fundido e ajustado, mas apareceu, como apareceram dúzias de peças, serviços, equipamentos que haviam sido devolvidos, refeitos ou reclamados. Trabalho difícil. Lutava-se, então, por um item que havia subitamente desaparecido em decorrência de dois planos econômicos seguidos e de fenômenos sobrenaturais da nossa economia: a qualidade.

Havia falta de tudo e, pior, produtos eram vendidos como sendo o que não eram. Pilhas comuns por alcalinas, inox 304 por 316, peças banhadas por maciças, validades vencidas, embalagens deterioradas, peças de reposição inexistentes. Uma tristeza. Uma verdadeira aventura.

Existe uma diferença entre viagens e aventuras. Surfar nas ondas do Drake, atravessar o Atlântico ou subir o Solimões não eram aventuras. Mesmo cair na serra da Quebra-Cangalha e passar dias no mato abrindo caminho com um canivete preto não teria sido uma aventura, porque eu tinha, antes de mais nada, uma bússola e um lugar para ir. Um rumo e um destino fazem a diferença em qualquer situação. Sobretudo no mar.

Gosto de viajar, profundamente. E sei que as viagens — não as aventuras — começam muito antes da data de partida, em lugares muitas vezes estranhos, engraçados ou mesmo desagradáveis. A viagem do *Paratii* começou muito antes da partida de Jurumirim, na verdade sobre uma mesa de tampo redondo com a assinatura de um contrato em maio de 1986. Este documento, um compromisso-motor das ideias que eu guardava, foi fruto de muitas aventuras e de mais trabalho do que qualquer viagem pode causar. Escrevi-o a bordo do *Rapa Nui*, após o acidente no retorno da Antártica. Ele tomou a forma de um caderno de capa azul, no qual, em quarenta páginas, estava explicado em detalhes o que eu pretendia fazer, de que modo o faria e, por fim, quanto custaria a história toda.

É claro, planos, projetos, barcos e viagens não caem do céu, nem se materializam, apenas pela graça divina.

Durante quase um ano eu estivera buscando recursos para concretizar o projeto do caderno azul. Havia recusado a proposta de uma grande empresa por uma razão, então, incompreensível. A empresa estava disposta a investir no projeto enquanto ele desse certo. Ou seja, seria um patrocinador-fantasma da ideia até que não houvesse mais riscos de "naufrágio". Ora bolas, muito obrigado. Eu precisava de apoio sério, de quem acreditasse, desde o começo, em cada linha daquele caderno azul. Que aceitasse participar do risco. Não existe atividade humana sem risco. Mesmo ler placidamente à luz de um abajur pode ser um exercício arriscado, quando se tem ideias na cabeça e se procura algo.

O risco maior da "grande viagem" — era difícil explicar — estava em terra, nas pranchetas de desenho, na qualidade das peças, no cuidado da montagem, na capacidade de se preparar, na coragem de fazer e refazer até que tudo ficasse como eu queria. Perfeito.

Eu disse não ao patrocinador-fantasma e quase me arrependi. Quase. Durante meses, entre os poucos amigos que conheciam o caderno azul, discutimos até que ponto vale a pena não ceder, bater a cabeça, insistir. Paciência, pensei. Mesmo que levasse dez anos eu iria insistir. Não levou tanto tempo assim, mas os meses seguintes foram longos.

Surgiu então a proposta séria de uma empresa de alimentos — Quaker —, ousada e de alto risco para o projeto, pois representava menos de cinco por cento do montante necessário, mas muito sincera.

"Não queremos nada em troca, além de participar do seu risco. Acreditamos no seu projeto e torcemos para que dê certo."

Muito bem. Topei. Não era a solução de problema nenhum, bem pelo contrário, mas era um compromisso, o primeiro passo, muito claro e sério, a partir do qual teria de fazer surgir um barco e uma viagem.

Foi o chute no balde que me fez esquecer todos os conselhos prudentes dos entendidos no ramo. Decidi adquirir o *Rapa Nui* até o final de 1986 e aprender o que faltava aprender. Contava com o projeto básico de um novo barco exatamente como desejava, feito pelo amigo e experiente projetista Cabinho. Trabalhava com um engenheiro naval, o Furia, capaz dos cálculos mais impossíveis do planeta, e com quem podia brigar à vontade, projetar e desprojetar, consultar a qualquer hora. E decidi deixar o comando da obra nas mãos do Jean Duailibi, um arquiteto, quase irmão, engraçado e bonachão, que não tinha a menor experiência de construção de barcos. Mas era senhor da mais indispensável qualidade para se fazer barcos: perguntador e investigador nato. Era capaz de se propor a desenhar naves espaciais ou trens supersônicos desde que tivesse um nas mãos. E tínhamos o *Rapa Nui* nas mãos. Montamos um escritório-oficina de experimentos diversos, e nasceu o núcleo de uma equipe.

    No final do ano conseguimos marcar uma reunião para apresentar o projeto ao Grupo Villares, ou melhor, ao conselho administrativo do Grupo, na tentativa de buscar um patrocinador único. Sabia que a metade dos membros era contrária à ideia e não esperava um resultado positivo. Mas precisava de uma resposta com urgência. A montagem das chapas de alumínio já havia começado. Estávamos na sede da Aços Villares e eu apresentei meu plano para onze pessoas que pensam, respiram e vivem aço em seu trabalho. Aço, inimigo filosófico e eletrolítico do alumínio. Tomei o cuidado de não abusar da palavra "alumínio". Falava num barco metálico, quando surgiu uma última pergunta, do único membro do conselho que demonstrava alguma simpatia pelo projeto: André Musetti.

    "Do que eram feitos os outros três barcos que invernaram na Antártica?"

    Pronto, pensei, terminou a reunião. E respondi:
"Aço."
"E do que será o seu barco?"
"Alumínio."

    Começou uma discussão interminável sobre as vantagens do aço contra o alumínio que eu sabia onde ia terminar.

    Fui então assaltado com uma pergunta seca.
"O seu barco pode ser feito em aço?"
"Claro. Como a maioria dos barcos polares."
"E, se depender do OK da Villares, Aços Villares, para bancar integralmente o seu projeto, você faz o barco em aço?"

    Eu tinha certeza de que isto ia acontecer, é claro que poderia construí-lo em aço e, na verdade, fazer em aço seria terrivelmente mais simples.

"Sinto muito, se o meu barco existir um dia será como está escrito na pastinha azul que o senhor recebeu. Em alumínio."

E terminou, secamente, a reunião. Quando voltei para o escritório todos estavam de luto. O Peter e um amigo que haviam assistido à reunião queriam me matar.

"Como você pôde? Como? Que custava fazer em aço, Amyr?"

Na manhã seguinte, na mesa do Quartim, amigo confidente e gerente do meu banco, toca o telefone. O Quartim, de cima de seus cento e cinquenta quilos, me passa o aparelho:

"É para você. A secretária do engenheiro Paulo Villares."

Minha nossa! Atendi. O engenheiro Paulo entrou na linha. O projeto fora aprovado por unanimidade.

Foi o primeiro teste de resistência do projeto: uma empresa de aço abraçou uma ideia de alumínio, pois o que importa, na verdade, é o material de que é feita a vontade, e não um barco.

O segundo teste de resistência aconteceu no dia em que o Negão apareceu com sua carreta para o traslado do estaleiro para a rampa de lançamento. Um dos guinchos tombou, na saída do galpão, e o barco despencou ribanceira abaixo. Fora algumas alterações cardiovasculares e impropérios variados, não houve danos e ficou provado na prática que a técnica de construção adotada — em alumínio grosso, sem longarinas — estava correta.

Exatamente neste dia, quando estava sendo içado de novo para a posição vertical, comecei a gostar da "cara" do *Paratii*, da sua aparência forte e tranquila. E desejei apenas que um dia, quando ficasse pronto, fosse um "navio feliz".

NAVIOS FELIZES

Estranha e imprecisa essa definição do que é um "navio feliz". Acredito que começa pela sua força interior, mas passa sempre pelo espírito das pessoas que trabalham ou vivem nele. Navegadores do passado usavam muito esta expressão — não há navios infelizes, apenas existem alguns que, mesmo iguais, são melhores, onde tudo encontra um lugar certo e funciona.

* * *

Roald Amundsen passou pelo maior teste de sua vida em setembro de 1909. Uma viagem longa por mar ou uma expedição polar depende sempre de um barco forte. Três anos antes, em outubro de 1906, o magro e silencioso norueguês sobrevoava o Golden Gate, em San Francisco, a bordo do minúsculo *Gjoa*, completando pela primeira vez na história a "intransponível passagem de noroeste": do mar de Baffin ao estreito de Bering. Mas o *Gjoa* (vivo e em forma até hoje, e do qual tenho uma réplica, em escala 1:50, linda de morrer na minha mesa), que passou três anos no Ártico, era pequeno demais para seu projeto seguinte: derivar pelo Ártico, a partir de Bering, para alcançar o polo norte geográfico. E só havia no mundo um navio perfeito para isso: o *Fram*.

Naquele mês de setembro Roald Amundsen dirigiu-se à torre de Polhogda (às alturas polares), a imponente casa do mais célebre explorador polar de todos os tempos, Fridtjof Nansen, a fim de fazer um pedido difícil: o empréstimo do *Fram* — o mais incrível navio polar até hoje construído, no qual Nansen fez sua histórica deriva de três anos no Ártico (do qual tenho outra réplica, em escala 1:50, ainda mais linda). Um pedido delicado, pois Nansen ainda tinha planos de fazer outra tentativa de alcançar o polo norte. Mas, casado e absorvido em importantes assuntos de Estado numa Noruega recém-independente, encostara o *Fram*. Nansen, homem frio e racional, dez anos mais velho do que Amundsen, mas não insensível, que certa vez dissera: "Life has no meaning. There is nothing called meaning in nature. Meaning is a purely human concept which we've put into existence". Fazendo lembrar o "guardador de rebanhos" do livro de Alberto Caeiro — de Pessoa.

Emprestar o navio seria, mais do que perdê-lo, abdicar definitivamente de sua vida de explorador.

Amundsen, ao pé das escadarias de Polhogda, ouviu a resposta seca que mudaria a vida de dois homens: "You shall have *Fram*". Nansen, ministro de Estado, embaixador e prêmio Nobel da Paz em 1922, nunca mais retornaria aos gelos do grande Norte, que seu navio conhecia tão bem.

Dois acontecimentos no mesmo mês de setembro de 1909 mudariam a vida de Amundsen e a história das explorações polares: os jornais de todo o mundo anunciavam o retorno de seu amigo e companheiro de invernagem antártica no *Belgica*, o dr. Frederic Cook, após alcançar o polo norte em 21 de abril de 1908. Menos de uma semana depois, o *New York Times* estampava a manchete: "Robert Peary alcançou o polo norte em 6 de abril de 1909", iniciando uma polêmica que acabaria com a injusta condenação e prisão de Cook por falta de provas de navegação de que realmente alcançara a latitude 90° Norte. O sonho de Nansen, agora de Amundsen, duplamente evaporado. O jovem norueguês não alterou seus planos e continuou, pública e oficialmente, preparando-se para ir ao polo norte. Mas, em total sigilo, começou a planejar uma radical alteração em seu plano.

Uma vez mais em setembro, no dia 13, o *Times*, de Londres, anunciava o projeto de Robert F. Scott de tentar, no ano seguinte, o polo sul. Poucos meses antes da partida de ambos, ninguém imaginaria que uma corrida entre dois homens e duas nações havia começado na cabeça de um norueguês que, secretamente, inverteu o sonho de sua vida em cento e oitenta graus e, com uma ousadia napoleônica, mudou seu objetivo do polo norte para o polo sul. A última notícia que o mundo recebeu do *Fram*, durante os dois anos seguintes, foi um enigmático telegrama dirigido a Scott — "I'm going south. Amundsen".

A diferença entre a expedição inglesa e a norueguesa é a mesma que há entre gramática e poesia, pois não há outra forma de definir as linhas da viagem dos homens do *Fram*.

Amundsen partiu à meia-noite, no início de 7 de junho de 1910, descendo o fiorde de Cristiania, futura Oslo, em silêncio. Sem despedidas. Seus homens julgando se dirigirem rumo ao Pacífico Norte e Ártico, via cabo Hom. Não havia multidões acenando para o *Fram*, comemorações ou discursos enaltecendo a glória, coragem e bravura daqueles homens. O pequeno navio de três mastros, que inaugurou a era diesel na propulsão naval, partiu discreto e seguro como o espírito de quem o comandava, ou o espírito norueguês traduzido por Ibsen: "Whatever you are be out and out. Not divided or in doubt".

Muito diferente, a partida do *Terra Nova*. As festas de despedida da imponente expedição antártica britânica começaram quinze dias antes de sua efetiva e derradeira partida de Cardiff, em 15 de junho do mesmo ano. O *Terra Nova* ganhou o direito de ostentar a White Ensing, mesmo não sendo um barco do Almirantado. Pintado em imaculado preto e enfeitado com bandeiras de tope, dos mastros ao convés, a cada escala da partida, descendo o Tâmisa, multidões ovacionando, discursos e manchetes enaltecendo a grandeza do Império britânico, a glória, bravura e espírito heroico da raça que governava as ondas do mar.

Era o fim do breve período eduardiano. Eduardo VII falecera no mês anterior, a dez dias da passagem do cometa Haley, e pairava sobre as três últimas décadas do Império um visível clima de decadência, após os gloriosos anos do reinado vitoriano. A publicação de *The descent of man*, de Charles Darwin, em 1871, a morte de Dickens e a explosão da guerra franco-prussiana, que transferiu a primazia no continente europeu para a Alemanha, marcaram o início desse declínio. Ou, uma citação de Tennyson, em "Ulisses", bem ao gosto do Império, e não por acaso usada por Nansen, agora o primeiro embaixador norueguês em Londres, ao se referir ao feito de seu compatriota, Amundsen, a bordo do *Gjoa:* "We are not now that strength which in old days/ moved earth and heaven; that which we are, we are,/ an equal temper of heroic hearts/ made weak by time and fate, but strong in will/ to strive, to seek, to find, and not to yield".

O trágico resultado da corrida que se iniciou — Scott não sabia ainda das intenções de Amundsen (ele só receberia o telegrama "I'm going south Amundsen" na Austrália) — em tudo poderia ser previsto. Não havia dúvida sobre a utilização de esquis e cachorros no então desconhecido continente. Desde o século anterior, os noruegueses, exímios esquiadores, sabiam disso. Nansen, o próprio Shackleton e mesmo Peary, dias antes da partida de Scott, insistiram nisso. A arrogância da superioridade britânica e a incapacidade de estudar detalhes e aprender com os outros foram a razão do trágico fracasso de Scott. Está escrito em seu próprio diário e nos de seus homens. Por isso, e por algumas centenas de pequenos cuidados, a viagem de Amundsen no *Fram* e a conquista final do polo sul foram muito mais do que uma obra-prima de talento, humildade e planejamento. Foram a mais bela poesia da aventura humana que conheço.

Pela milésima vez eu andava folheando os relatos dessas expedições. Tinha acabado de ler um belo livro de um dos membros sobreviventes da expedição de Scott, Apsley Cherry Garrard, *The worst journey in the world*, e estava cada vez mais convencido da inutilidade de lutar por glórias ou bandeiras. Da importância de se trabalhar sério para pura e simplesmente viajar.

Havia ainda uma diferença que a história por vezes esquece. A expedição norueguesa foi uma empresa de um homem, não de um império. Amundsen endividou-se até o pescoço para organizá-la, era absoluto senhor do que fazia; navegador e explorador por paixão antes de mais nada. Como o grande Yann, do *Pêcheur d'Islande*, de Pierre Loti, que pescava não pelo que conseguia, mas pelo puro prazer de estar no mar. Acusado de amador, construiu uma legenda de extremo profissionalismo em tudo que acabou fazendo.

Scott, por outro lado, capitaneava uma expedição que, embora tivesse propósitos científicos, foi patrocinada pela Royal Geographical Society e pelo governo britânico com a intenção de recuperar a glória e grandeza de um império marítimo visivelmente em declínio. Ele não comandava seu próprio empreendimento. Cometeu erros inadmissíveis de planejamento, logística e comando. Oficial da Royal Navy, impôs, de modo inseguro, uma disciplina e hierarquia militares sobre uma tripulação mista de sessenta e cinco homens e tirou-lhes o motor mais importante do ser humano: a motivação. O *Terra Nova*, apresentando problemas técnicos o tempo todo e tripulado por pessoas que não estavam seguras de suas funções, não era um *happy ship*.

Quando os homens do *Fram*, dezenove apenas, após a última escala na ilha da Madeira, souberam que se dirigiam não para o polo norte, mas para a Antártica, numa corrida contra os ingleses em que só teriam uma única chance, vencer, tornaram-se cúmplices de um sonho onde cada um sabia o seu papel e ao alcançá-lo fizeram do *Fram* um navio feliz.

Trabalhando meses a fio no meu nascente barco, convivendo com listas de problemas que, dia a dia, até o seu lançamento, foram encontrando solução, e aprendendo, na prática, os detalhes e segredos que todo barco esconde, aos poucos fui descobrindo que, mesmo ainda distante de seu objetivo, o *Paratii* aportaria nele. Quando as baterias modificadas encaixaram-se milimetricamente no único lugar que sobrou para elas; quando o mastro, após tantas aventuras, pousou com precisão suíça sobre a moeda de um öre norueguês, a mesma que havia sob os mastros do *Fram* — como manda colocar a tradição nórdica sob os mastros de um veleiro —, e dali nunca mais se mexeu; e quando, na primeira saída em Santos, com o Eduardo, escapamos, miraculosamente, de afundar um pesqueiro, percebi que um dia teria nas mãos um navio vermelho. E feliz.

BARCOS DE VERDADE
NÃO NASCEM POR ACASO

Um amontoado de chapas e ideias que, soldadas, vão tomando forma e cor até um dia navegar.

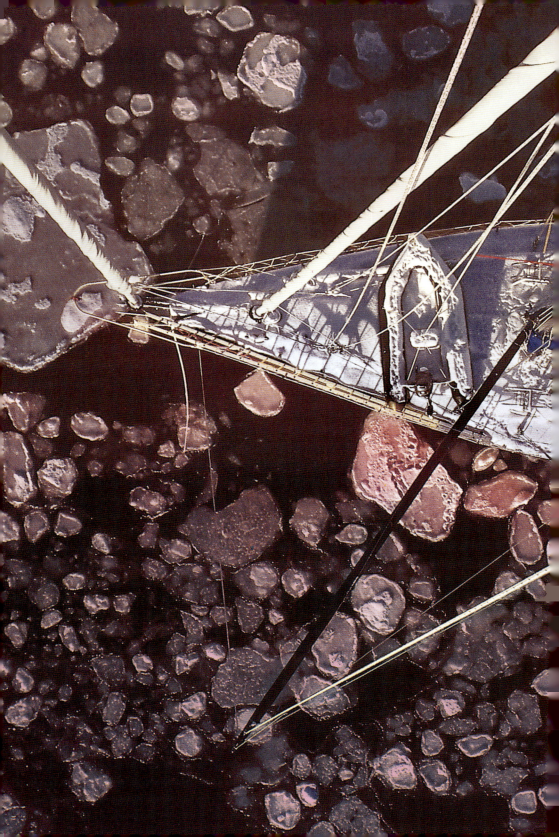

Após a tempestade,
o primeiro iceberg e a segurança
das crateras de Deception.
Rapa Nui, um barco
que não vai escapar de voltar.

Ao desembarcar
do *Barão de Teffé*,
um encontro impensável.
"Ei, rapaz, até aqui
você vem pra namorar o meu barco?"

Em Penola Creek, paradisíaco ancoradouro das "ilhas Argentinas", os votos do *Belle Étoile*, a contrabordo, se tornam realidade. A escuna azul deixa as baleias-corcundas do estreito de Gerlache rumo ao cabo Horn (acima).

Uma foca-leopardo, *Hydrurga leptonix*, ágil predadora de pinguins distraídos, eventualmente interessada em botes infláveis.

Meias limpas e o bote
a salvo de mordidas,
precauções da vida doméstica.

Durante o inverno, marcando entre os dedos uma nova escala de tempo.

Uma bagunça vigiada por computador...

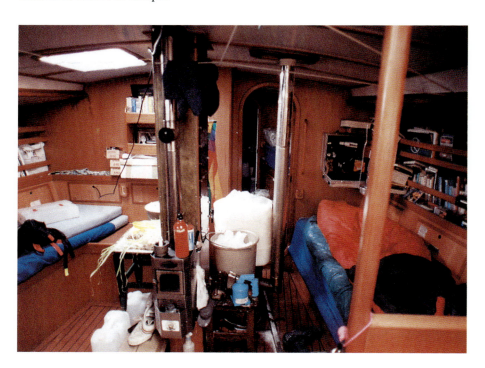

...enquanto a fábrica de água e a horta prosperam num ambiente aquecido e acolhedor.

A torre de comando, fábrica de planos
bem iluminada, de onde partiu
uma alteração de 20 mil milhas na rota.

A mesa de navegação e rádio,
a um passo da varanda,
ganhou durante os meses de noite
uma lâmpada que nunca se apagou.

Endereço preferido para os ataques
noturnos, a cozinha nem
sempre foi exemplo de ordem.

Um mar de "pancake ice" ▶
anunciando o congelamento.

8

PASSAGEIROS DO TEMPO

Fechei negócio nas oito vaquinhas e ao embarcá-las no caminhão, um desses caminhões boiadeiros "trucados" e cheios de dizeres pintados, ainda sobrou, na traseira, um espaço tentador. Havia muito tempo que eu namorava, ali nas redondezas de Natividade da Serra, um carro famoso que dessa vez não teve escapatória: acabou embarcando junto. Um carro de boi, todo em ipê, rodas inteiriças e cravejadas, os veios da madeira à mostra, e sem um defeito sequer, lindo de morrer.

Em Paraty, o carro ganhou como motor uma junta não de bois, mas de búfalos, Carvão e Carvoeiro, que fizeram sucesso no último dia da Festa do Divino, transportando, após a procissão, a partilha da carne.

Fora a diversão de cruzar a cidade em tão próprio e secular veículo, descobri o segredo do "cantar das rodas", a melodia aguda e nostálgica que brota das rodas desse engenho no seu lento e desajeitado caminhar. Sebo nos eixos, um pouco de pó de carvão e um calço de ingá ou outra madeira leve e verde, e pronto, uma gritaria aguda de endoidecer. Música de madeira contra madeira que se ouve muito antes de se avistar os bois.

Decididamente, o *Paratii* lembrava um carro de bois,

cantando e gritando uma música estridente que soava tudo no mundo menos gelo. Uma placa grossa de gelo trincado segurava com firmeza o casco. Com o movimento da maré — que, ao subir, relaxava a pressão sobre o barco e, ao descer, comprimia-o ainda mais —, ouvia-se o engraçado som de carro de bois.

Mas, às vezes, esse canto entre gelos, placas enormes comprimindo-se entre si, sobre as pedras ou contra o *Paratii*, era interrompido por um golpe metálico e seco, a que eu respondia com uma careta de preocupação: o leme.

Os movimentos lentos do gelo às vezes surpreendiam o leme numa posição indiscreta e o jogavam até o final de seu curso, provocando um estrondo de proporções bélicas.

Lemes são sempre a parte vulnerável de barcos que andam no gelo e o *Paratii* foi munido de um exemplar digno de um quebra-gelos nuclear, quase indestrutível, e, ao mesmo tempo — ponto vital para a navegação sob pilotos automáticos —, extremamente sensível e eficiente. O projeto do leme, sozinho, consumiu mais horas de estudo do que muitos barcos inteiros. Leveza de acionamento, resposta e robustez, características lindamente contraditórias que conseguimos conciliar. Quando ficou pronto, seu aspecto original e indestrutível provocou comentários engraçados de um engenheiro teórico e palpiteiro, no Rio de Janeiro:

"Você ficou louco? Para que um leme desse tamanho? Você por acaso está pensando que algum Sansão antártico vai agarrar seu barco pelo leme, sacudi-lo no ar e atirá-lo contra as pedras?"

Era precisamente o que eu estava pensando. E, caso o indivíduo resolvesse não largar, eu poderia, numa operação muito simples, remover o leme com o auxílio de uma catraca sob o arco traseiro do barco, previsto para isso.

Maio revelou-se um mês musical, e também quente: ventos assobiando o tempo todo e o termômetro não descia. Mau sinal. Em pouco tempo descobri as vantagens e o conforto do frio — neve seca e leve, gelo firme e silencioso, baixíssima umidade, nenhuma condensação. As subidas do termômetro de −3°C para cima eram catastróficas. A neve do convés derretia, transformando-se em gelo e impregnando todas as frestas possíveis e imagináveis, os cabos de atracação endureciam com a umidade e tornavam a congelar; durante as longas caminhadas, eu não podia me sentar por muito tempo sem molhar as roupas ou me atirar nos montes de neve atrás das pedras sem sair ensopado. No interior do barco formava-se uma película de condensação, congelada nas gaiutas e janelas, que, com o calor, dava lugar a pingentes de gelo. Muito bonito. Nada agradável. O calor num ambiente gelado provoca um frio desconfortável.

Pior, o coro de vozes do gelo nos dias quentes ganhava alguns sopranos desafinados. A baía Dorian fraturava-se em pedaços que se moviam de modo imperceptível. Os quatro cabos de atracação, que prendiam o barco às pedras, percorriam agora um insondável caminho entre placas de tamanhos diversos. Tentei de todas as maneiras afundar os cabos ou torná-los aéreos para que não desaparecessem dentro do gelo, mas não havia solução. Esses movimentos criavam uma tensão incrível e, esticados ao máximo, os cabos "choravam" contra os amarradores. É claro, a choradeira quase sempre começava no meio da noite, no melhor do sono. Dormindo dentro de uma verdadeira caixa acústica, muitas vezes eu saía sete ou oito vezes até afrouxar a tensão em todos eles. E, então, BANGT! Com o barco solto em seu berço gelado o leme entrava em ação. De um lado para outro. BANGT e BANGT! Eram noites de calor, às vezes com temperaturas positivas, barômetro baixo e vento, muito vento. Com o retorno do frio no dia seguinte, tudo voltava à paz. O *Paratii* "colado" no gelo, um profundo silêncio e bem-estar tomavam conta do mundo; pelo menos do mundo estranho e movimentado que existia ao meu redor, onde paz e silêncio tinham significados que não conhecia até então.

O silêncio era o vácuo deixado entre as ventanias, quando podia simplesmente ouvir o meu carro de bois se acomodando sobre o gelo, ou a respiração súbita de uma foca que viera por baixo da baía e abrira um buraco no gelo, com os dentes, a poucos metros do *Paratii*. O seu buraco de respiração, por onde mantinha apenas o focinho com bigodes e os dois olhos para fora, sofria manutenção permanente, a dentadas, para evitar que voltasse a congelar; e, pelo menos, um par de vezes quase me matou de susto quando, distraído, trabalhando em silêncio fora do barco, eu era surpreendido por uma baforada de alta pressão.

A gritaria dos vizinhos gentoos nas tardes de calmaria era também parte do meu silêncio. Eram poucos agora, talvez duas centenas no máximo, porém muito mais comunicativos. Ao acordar de manhã, antes mesmo de ligar o aquecedor e preparar o café, eu saía e, enquanto removia a neve acumulada sobre as janelas para ter mais luz dentro, gritava até saltarem veias no pescoço: "Acorda, pessoal, vai começar o festival!" "Bom dia, freguesia, acabou a ventania." "Sai da cama, Mariana"... e logo descambava para as obscenidades. Cada dia uma asneira maior. O pior é que eles respondiam com um concurso de performances vocais, a cabeça para o alto, as asinhas para trás, que durava horas. Na verdade eu inaugurei esse expediente de gritar uns versinhos meio obscenos no fim do dia, antes de deitar, quando estava mais inspirado para pensamentos dessa natureza, mas fui obrigado a parar porque o coro de respostas podia estender-se por horas de completa insônia. Ainda apareciam pinguins visitantes — adélie —, muito poucos agora, mas podia encontrá-los de olhos vendados, apenas pela sua voz grave e cômica.

E, no pleno exercício do meu silêncio, descobri um fenômeno curioso. A placa da baía, com a maré, apoiou-se sobre a "pedra sul", onde eu tinha dois cabos grossos segurando o *Paratii*, e deixou um espaço sob a laje de gelo, por onde poderia inspecionar o estado dos cabos. Quando me preparava para entrar na fresta, engatinhando sob o gelo, o meu inseparável canivete preto caiu exatamente no vão que se abrira. Na hora, deixei escapar um sonoro palavrão e — surpresa — a resposta: "pariu... ariu... ariu... ariu...". Xinguei novamente, "osta... osta... osta... osta...". Incrível. Quatro ecos em lugares diferentes. Quatro vezes a minha voz... a surpresa deu lugar a um festival de impropérios, palavras engraçadas e, depois, nomes de pessoas queridas que gostaria de ouvir muito mais do que quatro vezes.

Seguiu-se uma expedição de salvamento no espaço entre as pedras molhadas e a gigantesca placa de gelo. Meio desagradável mas encontrei o canivete e vi os cabos, manilhas e correntes que estavam em perfeito estado após meses de esforço. Passei o resto do dia brincando com os ecos, inventando instrumentos e sons, gritando palavras curtas como um doido, ouvindo a própria voz quatro vezes.

No final desse dia, eu tinha um longo QSO marcado com o Álvaro no Brasil, e quase não pude transmitir os dados da semana, não restou voz para falar no rádio. Havia também vozes alheias preenchendo esses raros silêncios. Um barulho estranho, gutural, que só ouvia quando estava no interior do barco. A princípio pensei que fosse um dos cabos tensos imitando uma cuíca engasgada. Nada disso. Eram as manifestações da foca minha vizinha, que nadava sob o gelo em volta do *Paratii*.

Outras vozes eram aéreas. Das muitas espécies de aves voadoras só restavam as pequenas, silenciosas e brancas *chionis*, aves lixeiras e intrometidas, e as *dominican gulls*, excelentes voadoras que enchiam o ar com suas estridentes gargalhadas e impecáveis manobras. As *skuas*, agressivas e escuras aves de rapina que sempre molestavam os pinguins ou quem quer que se aproximasse de seus sítios, e os muitos tipos de petréis estavam provavelmente ao norte ou em migração. As pequenas *stern*, de corpo claro e cabeça preta e vermelha, a essa hora, talvez, sobrevoassem o Brasil, em sua eterna migração de uma ponta a outra do planeta. Dirigiam-se para o Ártico em busca de um novo verão polar. Sentia saudades de suas algazarras em Port Lockroy ou na ilha Doumer, e, de certa forma, invejava seu espírito errante. Tão pequenas, menores que um pombo, e tão viajantes.

A partida dessas incríveis ciganas, que eu admirava quase tanto quanto os *wandering albatrosses*, juntou-se à conversa que tive com o casal holandês do *Jantine*, na primeira semana de Antártica, a esta hora, também a caminho do norte, e me fizeram desdobrar um plano que guardava há muito tempo, em segredo.

Quando se está numa das pontas do mundo, em país nenhum, e qualquer par de oceanos pode servir de caminho para casa, fica muito fácil sonhar. As distâncias são relativas e na verdade África, Austrália ou América estão muito mais próximas daqui. Mas, quando se tem um barco nas mãos, que obedece a cada um dos dedos, e um oceano em cada direção, sonhar é perder tempo. É melhor tomar um caminho.

O criminoso e quilométrico risco pontilhado em vermelho, que apareceu no meu querido exemplar do *National Geographic atlas of the world*, certamente chocaria quem está acostumado a medir distâncias em quilômetros, e a só fazer anotações em mapas a lápis. Mas era incrível. O meu caminho não seria de forma alguma o mesmo que havia feito até aqui. E, embora prisioneiro do gelo por meses ainda, o *Paratii*, internamente, já navegava em alta velocidade, em outra direção.

 Silêncio e paz. Uma paz não necessariamente tranquila. Ler à noite junto ao aquecedor, ouvindo os discos que gostava, não era mais sinônimo de paz. Terminar a demarcação das fendas que encontrei no alto da ilha e esquiar em vertiginosa velocidade de volta para casa foi a paz que encontrei. A inspeção dos cabos que vinham da "pedra chata" me deixou em paz. Havia ainda, ao norte, a "âncora de misericórdia", que não conseguira mais rever sob o gelo, e também a "pedra sul" — ambas me inquietavam um pouco.

 A carga nas baterias passou a ser feita apenas duas vezes por semana. Um dia pelo gerador e outro pelo motor principal. Fantásticas as minhas baterias. Em vez de ácidas eram alcalinas. De níquel-cádmio, desenhadas e construídas com especial carinho pela Nife, de São Paulo, para suportar toda sorte de maus-tratos, elas estavam sempre impecavelmente carregadas: dois bancos para uso doméstico e pesado e dois bancos intercambiáveis para a partida dos motores. Integravam o lastro do *Paratii* e patrocinavam inúmeras festas, no volume máximo dos amplificadores, comunicados intermináveis no rádio e excessos no consumo de eletricidade a bordo, quando os meses de escuro chegaram em total paz.

 O problema da condensação "congelada" nas gaiutas foi resolvido de maneira impecável. Usar vidros duplos na construção não era uma ideia eficiente e eu preferi trazer um filme plástico para aplicar internamente, nas molduras, com fita adesiva de dupla face. Solução simples e genial. As sete janelas da torre tinham um anel metálico interno que formava gelo por condução de temperatura e aí usei uma solução diferente. Cortei perfis quadrados de duas polegadas de styrofoam, o mesmo material aplicado em todo isolamento do barco, e apliquei internamente. Quando ficou pronto o serviço, constatei um ganho de quase 4°C na temperatura interna. Uma enorme economia de combustível para aquecimento.

A única distração imperdoável foi o último banho que tomei. Esqueci de drenar o aquecedor elétrico, a água congelou em seguida e CRACK! O chuveiro explodiu. Fiz a mesma besteira com o chuveiro elétrico de reserva e inaugurei, então, o "banho de tina" na proa; ao final, muito melhor e mais divertido que as rápidas chuveiradas. Na verdade, não havia mais água líquida nos tanques ou circulando nas tubulações congeladas, e o problema maior de cada banho era fabricar água com antecedência, recolhendo neve no convés ou sobre o mar, para ser derretida no aquecedor.

A lavagem das roupas era sem dúvida o pior serviço. Muito mais do que passar um dia inteiro batendo dentes na "casa de máquinas", trocando os óleos do motor ou engraxando os componentes sensíveis. Pelo menos quatro dias de fabricação de água eram necessários para pôr em funcionamento a lavanderia. Morria de saudades dos dias de verão quando exercia a ingrata profissão de lavadeira no alto das pedras, de óculos escuros e sem camisa, usando a piscina de água corrente, agora soterrada sob três ou quatro metros de neve...

O gelo formado no convés nos dias de "calor" encontrou também uma solução. Não me lembro quem foi a alma brilhante que me obrigou a levar um martelo de borracheiro, um desses de caminhão, uma convincente marreta de borracha. Foi o meio milagroso que encontrei para me livrar do gelo acumulado sem demolir completamente o *Paratii*. Duas horas de pancadaria furiosa com a marreta de borracha, os cabelos voando, maldizendo o calor de 0°C, sob o olhar surpreso de alguns pinguins que sempre se aproximavam com o barulho dessas manifestações, e pronto. Um novo barco. Depois, é claro, restava varrer todos os cacos misturados com neve antes que colassem no convés outra vez. Este serviço todo adquiriu um nome interessante: "consulta ao analista da Laura".

Certa vez, muito tempo atrás, eu briguei, num sábado de manhã, com uma amiga, a Laura Falzoni. À tarde do mesmo dia, ela me encontrou, furiosa, numa vila em frente à casa de outro amigo, o Beto Haenel, preparando uma superfesta junina. No meio do pátio havia, há décadas, uma mancha de concreto irremovível. Brava, elegantíssima e enigmática como sempre, ela desceu do carro sem falar nada, tomou uma marreta de uns cinco quilos, e em quinze minutos deu um show de demolição jamais visto até então. Lascas de concreto voando por toda parte, cabelos no ar, golpe em cima de golpe, até a placa de concreto se transformar em pó diante dos vizinhos boquiabertos. Quando ela atirou a marreta de lado, ofegante e descabelada, o Beto, sem entender direito o que se passava, perguntou:

"O que aconteceu, Laura?"
"Nada", ela respondeu me olhando e arrumando o cabelo, "economizei dez paus de análise. Tchau!" e foi embora.

O "analista da Laura" trabalhou mais de uma vez por semana nesse mês de maio, de muitas nevascas, calor e recongelamentos. Mas encontrei essa estranha forma de paz cheia de ferramentas e parafusos espalhados pelo chão, reformas, modificações, fios, cabos por toda parte, esquis e trenós empilhados no lado de fora, tubos sem fim, rastros na neve em todas as direções, pilhas de livros a serem lidos; invenções, ideias e listas de itens que faltavam para o plano ainda secreto.

No fim do mês, num dos raros dias completamente calmos, anotei no diário, à página 74: "Que saudade do sol, não tinha percebido o teu sumiço".

Uma lua espetacular durante boa parte do dia. Não havia mais dia e eu mal tinha percebido. O céu avermelhado e cristalino por algumas horas e uma longa noite em seguida. Pôr e nascer do sol reunidos num único e breve esforço de luz, próximo ao meio-dia verdadeiro. Caminhava, em alta velocidade, para o centro do longo inverno, o *mid-winter day*, e as minhas previsões meteorológicas "não científicas" perderam o sentido.

> *Red sky in the night, sailor's delight*
> *Red sky in the morning, sailor's warning*

não significavam mais nada. Manhã e entardecer eram agora próximos, coloridos, e quando a lua se erguia a noite era mais clara que o dia. "Adeus, óculos escuros! Até o próximo verão!"

A história, que eu não sabia, é que no "escuro e tenebroso inverno polar" há mais luz do que se imagina. O mar, com a superfície gelada e coberta de neve, reflete qualquer pingo de claridade e, mesmo na falta de lua, o céu estrelado fazia excelente companhia para longas caminhadas. Geleiras perigosas, das quais antes nunca poderia me aproximar, agora eram inofensivos fantasmas aprisionados pelo mar, iluminadas pelo reflexo do luar.

A neve varrida pelo vento frequente e forte tornou-se escassa, apenas acumulada em terra firme. Inaugurei, então, um serviço regular de transporte de neve para minha fábrica de água doce. Puxando com esquis um trenó, último modelo, preso à cintura.

No início de junho, a temperatura, enfim, caiu um pouco, até −14°C. O tempo bom e o céu aberto voltaram. Uma lua extraordinária invadiu meus domínios e, na terça-feira, a primeira do mês, quase pensei que seria obrigado a usar "óculos de lua". Em vez de ir dormir, fiz um longo passeio, passando pelo primeiro dos picos que avistava do barco, na "minha" ilha. No alto, uma vista espetacular. O Neumayer estava branco, mas não deveria ser gelo firme; as baías dos dois lados da península Damoy e os canais ao fundo congelados, imóveis. Lá embaixo, a luzinha que ficara acesa no *Paratii* projetava a sombra das janelas na neve branca. A minha tão confortável e querida residência ambulante.

Saí sem os esquis, apenas com a pá de alumínio e, para voltar até a baía Dorian, escolhi a encosta íngreme. Sentei-me na pá, com as mãos no cabo e os pés como freios direcionais, e deslizei em fulminante velocidade até parar lá embaixo, já na baía, completamente coberto de neve, ao lado da foca-de-weddell — a proprietária do buraco ao lado do *Paratii*. Ela estava sobre o gelo, levantou a cabeça indiferente à minha proeza e continuou quieta, apenas observando. Estava claro como nos dias de verão, mas de uma claridade negativa, refletida no mar congelado. Dei um grito mas não havia eco, talvez por causa da neve. Uma finíssima névoa surgiu, quase imperceptível, de madrugada e em torno da lua formou-se um halo, um halo-íris, circundando a lua com as cores do espectro. O *Antarctic pilot* descrevia no capítulo "Optical phenomena" fenômenos lunares como *parselenae*, *lunar haloes*, *coronas* e *aureolas*. Apenas não imaginava nada tão lindo.

"Ora bolas, que dormir que nada!" Fiz um rápido ataque à cozinha e saí com todo o equipamento fotográfico, tentar algumas experiências. Passei horas fotografando, mudando várias vezes de lugar o tripé. Quando terminei os filmes e estava em pé ao lado do barco subindo a sacola de material, não sei por que, tirei a única máquina ainda com filme, uma Nikonos para mergulho, e me afastei para a última exposição. Três passos para trás e... PLUFT!, cedeu o gelo e afundei com máquina e tudo! Nem tive tempo para usar os espetos que carregava nos punhos para essas ocasiões. Saí da água mais rápido que um pinguim, voando para o barco com as botas cheias de água e as roupas encharcadas. Pesando toneladas, não consegui dar o atlético salto de sempre na borda do barco e acabei subindo a bordo como uma foca o faria. Em trinta segundos estava pelado junto ao aquecedor, as roupas molhadas penduradas na entrada, uma toalha nas costas, meias grossas e secas nos pés, uma garrafa de Bordeaux bem aberta, morrendo de rir.

Que sorte, ou melhor, que aviso estranho cair logo com a máquina submarina! Nada como um banho compulsório para se dormir como um anjo. Acordei no dia seguinte, tarde, ouvindo o Vagabundo, o bote pequeno, que jazia desinflado no convés, batendo com o vento, impaciente talvez, aguardando o dia em que houvesse mar outra vez — quando?

Não pensava nisso. No dia 12 de junho, dia dos namorados, pensava em outras coisas.

Neve caindo horizontalmente, frio, escuro, passei o dia em casa pondo em ordem os parafusos. Liguei o gravador para registrar o boletim sinóptico que Palmer Station transmitia pelo rádio em código SHIP, quando, sem querer, mudei o botão da memória e captei uma estação do Sul do

Brasil. Em plena Copa do Mundo, futebol saindo pelas orelhas de todas as frequências, milagre — um programa sem pé nem cabeça, pura boemia de locutores gaúchos cheios de histórias, cansados de bola e onde era estritamente proibido falar nessa monótona e burocrática diversão chamada futebol. Delícia de programa... gravei um pedaço ao vivo que depois não parou mais de tocar...

"88010 333 11050 21056 82457 86460, and off."
"... que te quis muito, e a quem quiseste um pouco..."
"Que beleza!... e eu juro que foi decorada. O detalhe é o seguinte, ô Belmonte, Fernando Duó e amigos da Gaúcha, é que ele levantou-se e foi ao palco... que fica nas proximidades do nosso banheiro... frente ao vaso... [risos] e declamou agora, pra ex-namorada... Na cabeça, também decorado... Guilherme de Almeida. Me dá o som aí do bandolim [risos]..." "Eu quero que tu faça um fundo musical, romântico, e agora, porque no dia da namorada a gente tem que homenagear a ex-namorada... [risos]... de vinte anos atrás, de quinze anos atrás... de cinco anos atrás e de dois dias atrás, porque o rompimento é quase sempre inexplicável no amor. Então, bota um fundo aí... Agora, pra ex-namorada: Minha melhor lembrança é esse instante no qual/ pela primeira vez me entrou pela retina/ tua silhueta provocante e fina/ como um punhal./ Depois, passaste a ser unicamente aquela/ que a gente se habitua a achar apenas bela,/ e que é quase banal./ Agora que te tenho em minhas mãos, e sei/ que os teus nervos se enfeixam todos em meus dedos,/ e os teus sentidos são cinco brinquedos/ com que brinquei./ Agora que não mais me és inédita,/ agora que compreendo que, tal como eu te vira outrora,/ nunca mais te verei.../ Agora que, de ti, por muito que me dês,/ Já não me podes dar a impressão que me deste./ A primeira im-

pressão que me fizeste,/ Louco, talvez,/ Tenho ciúme de quem não te conhece ainda/ E, cedo ou tarde, te verá, pálida e linda,/ pela primeira vez!" "Lindo!... Guilherme de Almeida... [aplausos] A parte mais bonita é aquela, Santana..." "... o programa tá começando em alto-astral no dia dos namorados, daqui a pouco tem que preparar aí a nossa Alcione, que que eu faço amanhã, Fernando Duó?" "Bom dia, Brasil. Buon giorno, Itália. Cinco horas e trinta e quatro minutos, meia-noite e trinta e quatro. Já voltamos..."

* * *

Vibrando com o vento, numa rajada de péssima índole, o casco desprendeu-se do gelo e, deslizando sobre sua fôrma, começou a deitar-se cada vez mais. Diversas vezes o inclinômetro marcou vinte e cinco graus. Muito estranho, balançar de modo tão violento sem sair do mesmo lugar, apenas escorregando numa bacia de gelo. Desliguei o rádio, fazia muito barulho. O leme me preocupava fazendo esforços estranhos. Deveria tê-lo removido, mas era tarde. Vento ensurdecedor e gelado, escuridão completa. Quem mais sofreu no interior foi minha horta de brotos de alfafa, *moyashi* e nabos, que quase decolou em direção à parede. O vento, um autêntico *blizzard*, insistiu por umas dez horas, sem causar maiores estragos. A temperatura abaixou em seguida e tudo voltou ao normal.

Mas na véspera do *mid-winter day*, 20 de junho, o calor voltou e dessa vez bem acompanhado. Ventos outra vez fortes e, infelizmente, maré alta. A baía toda deslocou-se um pouco e enormes rachaduras surgiram na superfície. O *Paratii* desprendeu-se de sua bacia e começou a golpear, às vezes a quase subir sobre a placa que, enfim, rachou. UPA! Cada tranco! Encrenca dessa vez. Pedaços grossos e gigantescos de gelos soltos enroscando-se nos cabos, batendo com violência; encaixados entre si, como um gigantesco quebra-cabeças com alguma folga entre as peças. Estávamos flutuando outra vez, num elemento confuso que não era exatamente mar e, não bastasse a confusão, o vento que soprava de noroeste, empurrando todos os pedaços da baía para dentro, virou de uma vez para sudoeste, levando embora peças do quebra-cabeças que subiam nas pedras ou se acumulavam no canal de Neumayer. Com o barco solto, a cada rajada os impactos pareciam mais fortes. O *Paratii* subia contra uma ilha ou uma placa, escorregava para trás e batia em outra, ou melhor, o pobre leme batia. Desconectei os cabos da roda de leme para evitar um estrago, mas não sabia o que fazer da "porta do leme". Removê-la, no meio daquela confusão? Ou fixá-la? Não tinha a menor ideia. Pela segunda vez me arrependi de não ter desmontado tudo antes do mau tempo. Paciência.

Dois dias de caos, pancadas, duas ilhas gigantescas de gelo coladas nos cabos de proa e popa que não havia como soltar, toneladas arrastando o barco e fazendo os cabos gritarem sem parar. O leme fazia tanto barulho que resolvi — brilhante ideia — prendê-lo pela cana. Ficou quieto alguns segundos e — CRACK — partiu-se a cana como um biscoito; um tubo mecânico de duas polegadas de diâmetro com parede de meia polegada, um monstro. Nada grave. Eu tinha mais duas canas de reserva que o Eduardo, maluco, resolvera fazer por precaução. Mas decididamente não gostei de ver um pedaço do meu leme transformado em biscoito. Pensei muito nesses dois dias lutando com cabos, gelos e o zunido ensurdecedor do vento.

A parte mais delicada das experiências de invernagem realizadas até então por navios nunca fora a pressão do gelo por si só, ou seja, a expansão que sofria durante o congelamento. O *Endurance*, o navio de Shackleton, resistiu

281 dias derivando bloqueado no mar congelado de Weddell até ser abandonado. O *Fram*, o revolucionário navio de Nansen, desenhado pelo genial Colin Archer para invernagens, antes de viajar com Amundsen ao polo sul, passou um total de sete anos derivando no gelo ártico, em duas expedições: a famosa viagem de 1893 a 1896, com Nansen; e a segunda, sob o comando de Otto Sverdrup, de 1898 a 1902. Os principais navios polares da época "heroica" da exploração antártica foram foqueiros ou baleeiros noruegueses; o *Belgica*, de Gerlache, antes chamado *Patria,* o *Endurance*, de Shackleton; o *Gauss*, alemão, também desenho de Colin Archer; ou *Le Français* e o *Pourquoi Pas?*, ambos do dr. Charcot. Todos eles deixaram claro em suas invernagens que o perigo não está na compressão pacífica do gelo, mas no movimento de placas quando o gelo está partido ou solto, ou seja, o degelo após uma invernagem é muito mais crítico do que o congelamento. É claro que a inclinação negativa do casco ajuda no caso de uma compressão prolongada, expulsando o barco para cima, mas ajuda principalmente no caso de choques laterais fazendo o gelo descer ou o barco subir. Situação delicada para qualquer barco, e que eu só pensava encontrar no início do verão seguinte.

Não gostei muito da brutalidade desse degelo provisório totalmente fora de estação. Os dois dias custaram mais a passar do que os seis meses desde Jurumirim; e a minha tão aguardada festa de *mid-winter day,* no dia 21, acabou não acontecendo por falta de gelo e humor. Mas, no terceiro dia, quando o escândalo eólico terminou e a baía Dorian ganhou um revestimento branco e firme totalmente novo, havia um caminhão de motivos para comemorações.

A metade do meu sonho antártico estava realizada com a passagem do solstício. Como se atravessasse o ponto mais profundo de um vale, a trajetória celeste do sol começaria a subir a cada dia, até o "astro" voltar a aparecer no meu horizonte. A outra metade do meu sonho ainda estava longe.

O *Paratii*, nessas quarenta e oito horas sem fim, mostrou sua força. Placas de gelo de milhares de toneladas estavam empilhadas como cartolina num canto da baía, apenas a uma centena de metros. A tinta do casco, que se desprendera apenas no lugar dos choques, deixou claro que dificilmente um casco em outro material que não o alumínio teria aguentado tão bem. Não havia, além de marcas na pintura e dos anodos de zinco arrancados, nem uma só deformação importante. O leme, que bateu sem parar de modo tão intenso e original quanto a bateria de Joe Morello em "Take Five" até perder uma das batutas (a cana principal), estava intacto.

Passei, durante esse longo concerto, minutos intermináveis, suando frio, desejando terrivelmente estar horas ou dias à frente para escapar da tortura da espera, da angústia de não saber quanto tempo, da tensão de ter de aguentar até passar. Mas não há meio. Talvez seja exatamente este o verdadeiro prazer de se atravessar tempestades. Só se alcança o bom tempo passando por todos os segundos que vêm antes. Não há como cortar caminho. Só veria o sol outra vez quando passasse por todos os dias do inverno, sem pular nenhum. E não há como dar saltos. Só retornaria a Paraty percorrendo cada um dos graus de latitude, cada milha do caminho até lá.

Os dias tornaram-se lugares, as horas e minutos, pedaços e frações destes lugares, e o tempo, que antes eu media num calendário, não podia mais ser contado. Era algo que corria, um veículo veloz sem freios, que passava sem parar por todos os lugares. Um veículo vermelho do qual eu era o único passageiro.

9

O OUTRO LADO DO GELO

Dezessete serpentes e duas cobrinhas devorando a minha adorada chave de fenda japonesa! Que desastre! Mas já era tempo de fazer uma expedição de caça no "Instituto Butantan". Boa parte dos objetos misteriosamente desaparecidos a bordo com certeza haviam caído entre os "répteis" do Instituto — o cockpit central do *Paratii* que abrigava a roda de leme e para onde convergiam todos os cabos de manobra do barco, num layout de convés especialmente estudado para a navegação em solitário. À exceção da vela principal, que eu preferia regular junto ao mastro, todas as manobras do barco eram controladas dali, em segurança e ao abrigo das ondas. Para cada manobra um cabo, dezenove no total, que, nos dias de grandes velejadas e movimentação, tornavam-se mais ou menos "peçonhentos", enroscando-se entre si ou às vezes agarrando minhas botas.

Durante o inverno, com o barco parado, o Instituto tornou-se inoperante e transformou-se numa espécie de poço onde eu espetava os esquis quando voltava para casa ou deixava baldes, pás, picaretas e instrumentos menos delicados. Estava sempre coberto de neve e qualquer pequeno objeto que caísse ali desaparecia entre o gelo e as "serpentes" que estavam no fundo. Eu poderia desarmar o *Paratii*, remover todas as velas, dobrá-las, retirar todos os cabos, organizar as "serpentes" e guardar tudo dentro do barco. Mas onde? Com certeza não no salão onde eu residia e que estava deliciosamente aquecido e mais ou menos em ordem. O volume de velas e cabos seria enorme e o trabalho maior ainda. Embora velejadores excessivamente católicos do Brasil tivessem garantido que o frio destruiria todos os têxteis que ficassem fora do barco, como cabos e velas, eu sabia que muito pior seria manuseá-los no frio, sozinho, guardando e desguardando. Deixei tudo exatamente como no dia em que cheguei, apenas com protetores de raios ultravioleta. As velas ficaram nos enroladores, tudo pronto para partir, e estava contente por isso.

 O Instituto Butantan não foi poupado e sucumbiu a uma devassa no seu acervo. A chave de fenda que, na véspera, eu esquecera na borda do poço, logo após regular os *bindings* dos esquis, devia ter sido sugada para dentro pela neve que caíra à noite. Removendo neve, gelo e "serpentes" petrificadas, abrindo caminho com pá e picareta, fui descobrindo peças arqueológicas de grande interesse: um pacote semiaberto de bolachas que eu dava para os albatrozes do Drake, a tampa de uma das objetivas sumida havia meses, um garfo, o rolinho de arame inox macio que eu procurava desesperadamente, uma luva órfã de neoprene, mas nada da chave.

 Havia uma claridade intensa no céu com aspecto de crepúsculo. Logo, logo o sol retornaria e enquanto ia aprofundando as escavações — à procura da chave — percebi uma movimentação incomum entre os gentoos. Durante os dias tempestuosos de julho eles haviam se retirado para as proximidades da ilha Casabianca e aos poucos vinham retornando para perto do *Paratii*. Primeiro foi um que passou ao lado do barco e só se deteve por alguns segundos para observar os golpes que eu aplicava contra os cabos congelados. Depois, outros três vieram da direção oposta, do lado da baía, por onde quase nunca andavam. Pareciam muito ocupados em alguma misteriosa missão.

Não digo que os entendesse perfeitamente, mas já gozava, pelo menos, de certo respeito por parte deles. Demorou um bom tempo até aprender como não provocar algazarras nas vizinhanças quando devia atravessar seus domínios. No começo, por mais devagar que eu andasse, como um espião, passo a passo atrás da porta, eles me flagravam, gritavam e vinham correndo atrás. Até perceber que eles identificam visitantes muito mais pelo ritmo do deslocamento do que pela velocidade. Descobri que podia passar por eles correndo como um maluco desde que imitando os seus passinhos acelerados, como Chaplin em alta velocidade. Por sorte não havia testemunhas. Não seria simples provar que continuava no pleno exercício das minhas faculdades mentais se um ser humano me visse nessas horas. Não. Não virei pinguim, nem fiquei maluco, tampouco estava sofrendo de monotonia ou lutando contra a "terrível solidão antártica" como poderia parecer à distância.

Estava sim surpreso, talvez um pouco apressado, como os gentoos que passavam ao meu lado, e incrivelmente bem. Em sete meses não me lembrava de dois dias iguais. Nada do que se passava ao redor era comparável com o que já tinha visto antes. A neve, sempre, sempre diferente, o gelo do mar agora totalmente irregular, tendo aprisionado vários pedaços com formas arredondadas e estranhas. A cor dos dias, a quantidade de luz e mesmo a paisagem se transformavam sem cessar. Gigantescos icebergs iam passando pelo Neumayer, abrindo caminho no gelo com espetacular estardalhaço, impulsionados não pelo vento mas pelas correntes fortes sob o canal. Um desses monstros, com mais de cinquenta metros de altura numa das pontas, encalhou à frente e transformou a minha paisagem com suas estranhas cores. Embora não tenha a menor inclinação para dançar, me surpreendi umas duzentas vezes fazendo proezas artísticas ao som de um disco maluco de forró nordestino que veio parar a bordo. É claro, com um pano de chão sob as botas para, ao mesmo tempo, secar a neve que trazia para dentro.

Às vezes trabalhava como um escravo para fazer a vida funcionar. Não deixar a bagunça e as tarefas se acumularem como neve no convés. Mas, quando terminava tudo, me divertia como um príncipe. Nada funcionava por acaso — motor, aquecimento, energia, iluminação, isolamento, água, cozinha e todo o resto exigiam atenção e cuidado constantes. O grande prazer é que não havia trabalhos inúteis. Mesmo resmungando ao final do dia, por não ter conseguido alcançar a chave de fenda no gelo, sabia que no dia seguinte o faria, que na pior das hipóteses eu teria, até lá, domesticado e organizado todas as "serpentes".

De fato, na manhã seguinte recuperei a minha ferramenta e fiz, no almoço, uma ruidosa comemoração. Salada fresca com as verduras recém-colhidas na horta experimental, pizza — com massa especial da Panificadora Continental, que agora trabalhava duas vezes por semana — e queijo feito em casa, toalha xadrez e um bom vinho. Afinal, era um sábado de bom tempo e gelo calmo. Sob todos os aspectos a minha residência vermelha era um lugar agradável.

Havia privações, é claro. Morria de saudades da bagunça de casa, dos amigos malucos, das árvores que plantei nos lugares mais mirabolantes, das viagens que sempre fazia — mas não estava, de modo algum, sofrendo. De malucos menos amigos estava a uma prudente distância, viagens não faltariam até chegar em casa, e árvores, bom, era uma questão de latitude e paciência apenas.

    Pilotava o tempo em alta velocidade, na direção que havia marcado, deliciosamente, sem poder detê-lo ou voltar atrás. Lembrei-me da carta do Hélio Setti, que tantas vezes li e tão importante foi durante a travessia para cá. Miseravelmente ela desaparecera meses antes, provavelmente enfiada em algum livro ou canto "para não perder".

    Ela falava sobre o tempo. Não. Não parei no tempo como pensei que faria quando o *Paratii* ficou imobilizado no gelo. Não me tornei escravo, nem senhor, do tempo como pensava o Hélio. Mas descobri que podia conduzir o meu tempo, somar todos os instantes numa única direção. Transformar os meses e os segundos que faltavam em distância, em um lugar para se chegar. Os poucos dias em que deixei à deriva o tempo, quando não sabia com certeza o que faria além de partir, foram dias lentos de calmaria, de clima terrível, de péssimo humor. Não e não. Mil vezes a perspectiva de enfrentar a pior tempestade do que as mornas calmarias sem rumo, sem ir a lugar nenhum.

    Foram esses, é gozado, os únicos dias em que me senti só. Quando deixei os planos à deriva e permiti que as coisas acontecessem sem saber delas, onde iriam parar.

    Agora era muito diferente. Mesmo que fosse num cemitério, eu sabia onde as coisas iriam parar se me distraísse, cometesse erros ou deixasse o barco à deriva. Sabia que o sol retornaria, que um dia o gelo se partiria em pedaços e eu poderia então seguir.

    O inverno, a vida isolada pelo gelo não eram permanentes. Eu não havia sido abandonado na baía Dorian. Não estava fugindo de nada, nem tentando provar meus conhecimentos ou capacidade, ou negando a sociedade de consumo. Não estava tentando me conhecer ou superar os limites do homem, nada dessas bobagens. Apenas era o que mais desejava no mundo. Uma única vez, por um ano inteiro. Sozinho. Por quê? Não tenho a mais vaga ideia. Só sei que, embora ilhado, solidão não passei. Trazia próximos, como nunca, pessoas queridas e amigos, e a provisória distância que nos separava era apenas física. Uma distância real e emocionante que sabia muito bem como percorrer. Uma distância fácil de resolver. A verdadeira solidão, a distância interior, entre pessoas às vezes próximas, o abandono, a falta de um objetivo, de vontade, ou de apoio, depois de partir, nada disso conheci. Estava seguro que até mesmo credores, contadores e inimigos vingativos, se é que existiam, torciam pelo mais breve retorno do *Paratii*. Cada peça, parafuso ou detalhe do mundo onde vivia lembravam o cuidado, a preocupação de alguém. Os detalhes de madeira que o Arnaldo fez, em silêncio, com faraônica paciência, as milhares de pecinhas em inox inventadas e fabricadas pelo Celsão, o livro raro da Cris, os amuletos japoneses do Issao Kohara, a odisseia da turma da Perkins para fazer uma perfeita instalação do motor — centenas e centenas de histórias, casos, acidentes engraçados, carinho, que demonstravam que nenhum barco se faz sozinho, ou que uma tripulação de um só não é solitária.

Não poder dividir momentos especiais poderia ser um problema, mas há situações que se passam no mar que são para não serem divididas. Algumas tão belas e únicas que devem continuar inteiras dentro de quem as vê e só assim se transmitem: inteiras. Outras difíceis, como medo e pânico, onde a soma entre pessoas pode não ajudar. Sozinho, por instantes apenas, vi coisas e vivi situações cuja beleza indivisível, única, guardarei para sempre. Passei por encrencas que não desejo para amigo nenhum. E foi, só — por esses breves instantes que dura um inverno —, que descobri como fazer o tempo correr para tornar próximos todos os lugares, e certas pessoas, por quem se morre de saudades.

É difícil explicar como surgem as ideias. Às vezes por reação a uma simples palavra: impossível.

Ouvi uma vez de um capitão de navio — por sinal navegador solitário nas horas vagas, e que conhecia a Antártica — ao contar suas proezas e aventuras: "Lá embaixo, navegar só, impossível, completamente impossível". É de fato incrível a capacidade do ser humano em não acreditar. O mais religioso dos animais terrestres é o menos crente, o que mais facilidade encontra para não mudar, opor-se, inventar obstáculos intransponíveis e fronteiras que no fundo têm a mesma importância que um risco de giz no chão. Há cem anos, antes da maravilhosa circum-navegação de Joshua Slocum, talvez, mas hoje, por que impossível? Como? Interessante e relativa essa palavra.

Até há muito pouco tempo, um indivíduo que imaginasse um obsoleto forno de micro-ondas, ou cantasse as possibilidades do mais retrógrado computador que temos hoje, seria excomungado e condenado, por bruxaria, sem remissão, a trabalhos forçados, nas galés. A maior condenação a que estamos sujeitos no futuro será por omissão, porque meios para se fazer muitas coisas lindas e impossíveis existem.

As experiências anteriores com veleiros na Antártica eram fascinantes. Até então, apenas três veleiros haviam invernado na Antártica. O último, um sessenta e cinco pés australiano, do dr. David Lewis, o *Dick Smith Explorer*, de aço, invernou nas ilhas Rauer, no outro lado da Antártica, no chamado Setor Australiano, com seis pessoas (quatro homens e duas mulheres). Foi uma experiência polêmica, recheada de brigas, acusações, desentendimentos. Tecnicamente bem-sucedida, mas não era nenhuma empreitada que enchesse os olhos de vontade. O mesmo dr. Lewis foi o primeiro velejador solitário a descer à Antártica em 1972-73, a bordo de um minúsculo veleiro de trinta e três pés — o *Icebird*. "Recuperado" em Palmer Station durante o inverno, retornou de navio no ano seguinte para levar o barco até a Cidade do Cabo. Um desastre de viagem. Restou um livro no qual dá absurdos conselhos e ensinamentos a todos os velejadores polares que eu considero a Bíblia de tudo o que NÃO se deve jamais fazer no mar e em bases antárticas.

A invernagem anterior, a segunda, ocorreu em 1981-82, na ilha Petermann, umas quarenta milhas ao sul do *Paratii*. O barco esteve no Rio de Janeiro, e os quatro tripulantes, homens, deixaram um relato interessante e simpático de sua viagem.

Mas a viagem linda, quase mágica, que me encantou, foi a primeira, do casal Sally e Jérôme Poncet, a bordo do *Damien II*, veleiro feito no mesmo estaleiro onde nascera o *Rapa Nui*, e que inaugurou uma série de barcos, uma filosofia de vida e uma história. Eu os conheci no Rio e ganhei do Jérôme um velho anemômetro que guardo até hoje. Depois os encontrei com outro casal de grande experiência antártica, Oleg e Sophie, que têm um barco gêmeo do *Damien II*, o *Kotic*. O Jérôme, um verdadeiro bretão, que não fala, faz, navega, e a Sally, linda e forte australiana, terminaram a invernagem com um filho, que nasceu a bordo, em completo isolamento, o Dion. Tiveram mais dois e desde então nunca deixaram de voltar para o gelo, sempre com o mesmo lendário e enferrujado *Damien II*, que descobriu, discretamente, sem heroísmos, todos os ancoradouros usados hoje por pequenos barcos na Antártica.

Mais do que conselhos preciosos, deles eu ganhei o vírus que me trouxe à baía Dorian.

Talvez por isso passava os dias cantarolando obscenidades, fazendo artes a torto e a direito, pensando sem parar, desafiando todas as noites a tempestade de cartas náuticas e cálculos que reinava na mesa de navegação, na torre. A cada dia, mais perto e certo de partir outra vez.

No dia 20 de julho, sexta-feira, às 13:15, hora local, o sol retornou após 58 dias de ausência. Que coisa mais espetacular o "Old Jamaica". Por poucos instantes, mas inesquecível. Sol de verdade iluminando o *Paratii*, entrando pelas janelas, projetando a sombra deitada dos pinguins na neve. Uma festa. Sete minutos de sol. Uma enorme e inesquecível festa voltar a viver com sol. Mesmo não vendo sol nenhum, apenas sabendo que ele está lá.

Inaugurei a nova cana de leme, cujo reparo tomou duas semanas de trabalho, e os esquis canadenses que serviam para *cross country* e *down hill* ao mesmo tempo. Fui ao "supermercado" no depósito da proa e fiz a feira da semana 31 e as compras do oitavo mês, nas quais havia muitos doces interessantes e novidades. No sábado, enfim, criei coragem e mergulhei nos porões do *Paratii* para fazer um balanço dos combustíveis. Cada carga de vinte litros de diesel para o aquecedor permitia, em média, onze dias de vida confortável; um consumo aproximado de sessenta litros por mês. Havia ainda combustível para dez meses de aquecimento, sem racionamento. Nos dois tanques principais, a mistura diesel/querosene branco, na proporção 2:1, era suficiente para mil e duzentas milhas de navegação a motor. Nada mau. Autonomia de combustível é o ponto fundamental na vida antártica, e fonte de certa paz de espírito para quem tem planos de se locomover. Tempo bom por aqui, quente ou frio, nevando ou não, significa ausência de ven-

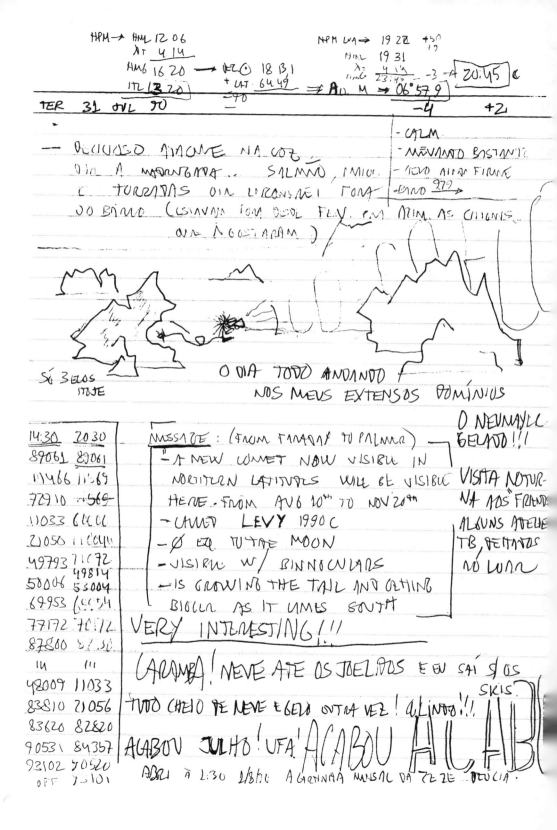

to, e os deslocamentos, portanto, quase sempre são feitos a motor.

Descobri, nas "catacumbas" sob o piso, um segundo provável endereço para os objetos misteriosamente sumidos, ou esquecidos. Coisas estranhas de que não me lembrava mais, até mesmo uma motosserra cor de laranja, especialmente fabricada para cortar gelo, ou concreto, com um sabre longo e uma incrível corrente de vídia que, esperava, não fosse nunca necessária. Na mesma câmara, sob o piso, estava deitado o motor de popa pequeno. Não sei por que, mas resolvi guardá-lo na cozinha e, quando abri por curiosidade a tampa do motor para ver se as ferramentas e o hélice de reserva estavam no lugar, encontrei uma borrachinha com três furos e um pino de hélice de reserva num deles. Os outros dois estavam vazios. Não tenho a menor ideia por que fiz isso. Estava ocupadíssimo e ainda meio "oleoso" após a inspeção nos tanques, mas resolvi ir para a oficina atrás de um vergalhão de inox, e em meia hora fabriquei três novos pinos com rebaixe para decepamento e tudo. Opa! Sem querer fiz um pino a mais. Enfiei dois nos furos da borrachinha e o terceiro, que ia jogar fora, deixei na bolsa com as velas de ignição e ferramentas. Fechei tudo e guardei. Estava há meses de voltar a usar o motorzinho e há séculos de imaginar que o terceiro pino feito a mais e sem necessidade salvaria um dia o meu pescoço.

Sujo, exausto e feliz proprietário de uns oitenta litros de água "pronta", providenciei um magnífico banho completo na proa e me atirei na mais confortável e desejada cama de que eu tinha notícias.

Na manhã seguinte, um domingo gelado de agosto, foi necessária uma heroica determinação para me extrair do saco de dormir. "Não sei o que acontece, sempre aos domingos o tempo resolve mostrar os dentes por aqui, mas hoje deve haver um problema." Fazia um sol tórrido e uma calma celestial. Ao escovar os dentes tomei um susto: "Tem um sujeito estranho no espelho, limpo, de barba feita e cabelos cortados...".

Minha fiel vizinha, a foca-de-weddell, ganhou um nome — Bárbara — e, ao lhe fazer uma visita, constatei que ela devia estar grávida e, talvez, com problemas conjugais. Todas as outras focas encontravam-se em Port Lockroy, administrando seus buracos de respiração no gelo e, com certeza, tomando sol num dia tão pacífico.

Ao fazer uma das coletas na caixa de experimentos, topei com um visitante inédito até então. Um enorme elefante-marinho, muito jovem ainda, macho e, ao contrário da Bárbara que gostava de se exibir e posar para fotos, muito tímido e assustado. Um jovem elefante desgarrado de alguma família da parte sul da ilha Anvers, onde havia uma colônia grande. Em dez segundos, passou a se chamar Theobaldo. Discreto e completamente silencioso, ele se tornou o terceiro mamífero residente na baía Dorian.

O número de pinguins cresceu de uma hora para outra. Muitas centenas agora, andando por todo lado, dando bicadas no leme, às vezes, seguindo concentrados o rastro que eu deixava na neve ao esquiar. Formavam concentrações fixas em certos lugares, para onde sempre retornavam.

Como teria sido triste este lugar sem a presença de animais. Qualquer forma de vida na Antártica causa admiração. Não é fácil a sobrevivência num ambiente tão inóspito. Às vezes, ficava pensando na incrível eficiência e equilíbrio entre as espécies que conviviam aqui; em como, por exemplo, a Bárbara fazia para abrir um buraco numa placa com meio metro de espessura. Que dentes! Muitos dos animais mais velhos morrem quando seus dentes não conseguem mais dar conta desta tarefa.

A incrível agilidade e elegância de uma foca sob o gelo, capturando alimento para manter seus trezentos a quatrocentos quilos e o esforço com que se desloca entre as pedras da orla. Os concursos vocais dos gentoos e os comentários mais graves dos poucos adélie em trânsito, as poucas aves que ficaram e as muitas que em breve retornariam, pegadas na neve por todos os lados, rastros de esquiadores, mamíferos ou não, a "terraplenagem", realizada por Theobaldo em seus pesados deslocamentos — tudo isso fazia da vida em Dorian um crescente de animação paralelo ao retorno do sol.

Cada vez mais para o sul, a declinação solar a caminho da primavera em pouco tempo fez os dias curtos e ventosos do inverno ficarem a séculos no passado.

Não cessaram as tempestades durante o mês de agosto, sempre interrompidas por dias espetacularmente lindos... mas com o *Paratii* soldado no gelo, pouco me importava com elas. Tornei-me um adorador do sol e, como tributo ao grande astro, coloquei em dia todas as tarefas ingratas e sórdidas a bordo. A pior delas foi a limpeza das "catacumbas" do *Paratii*, removendo o gelo que "crescia" nos porões para fazer um teste em todas as válvulas. Um gelo pegajoso e nojento formado por condensação e restos que se acumularam no fundo. Tive que prová-lo, na boca, para saber se era salgado. ARGT! Graças a Deus, não! Sinal de que não havia vazamentos. Detalhe sério. Descobri que uma das mangueiras rachara por causa da dilatação e logo a substituí com o auxílio do meu inseparável maçarico portátil. A baixa temperatura, variando entre −8°C e −20°C, tornava a existência muito seca e confortável. E, ao retornar das longas esquiadas, quase sempre estava apenas de camiseta, com casaco e blusa amarrados à cintura.

Apesar de tantas mudanças bruscas do tempo e da luz,

do trânsito de aves e focas, e dos humores do gelo, a vida seguia seu rumo de modo natural e harmonioso.

A movimentação da vizinhança também me contagiou. Trabalhava no *Paratii* não mais para mantê-lo enquanto durasse o gelo, mas para navegar outra vez. Navegar para longe.

Quando chegasse o verão, pretendia passar um mês e meio percorrendo ancoradouros e lugares que não conhecia, a maior parte deles anotados em desenhos que o Jérôme e a Sally fizeram, até a Lagoon Island, na baía Margarida, e então selar meu plano e voltar.

Mas, durante o inverno que já partia, decidira não mais voltar para o Brasil. Se me liberasse do gelo até o Natal, em janeiro do ano seguinte estaria em casa. Após meses tão rápidos, curtos e movimentados, janeiro era algo terrivelmente, injustamente próximo. Eu, que no início me impressionara com os longos meses que teria pela frente, agora andava inquieto, ansioso com o pouco tempo que faltava para concluir a invernagem. Estava também inquieto com o próximo degelo, talvez em dois meses. A configuração da baía Dorian e do canal de Neumayer era muito diferente agora. O gelo não formava uma placa lisa, mas uma superfície irregular que aprisionava blocos muito grandes. Especialmente dois monstros salientes que se incorporaram aos meus cabos de amarração e, sem dúvida, fariam um belo show de demolição quando se soltassem.

Um ano é uma curiosa medida de tempo. Tantos anos as "gentes" por vezes perdem vivendo com precaução, pensando no futuro, buscando segurança na vida e, sem perceber, morrendo aos poucos, sem fazer algo de verdadeiro. Aqui, em um minúsculo ano, acumularam-se tantos acontecimentos e experiências que seria impossível incluí-los todos na mera extensão cronológica do calendário. Quando estava desenhando — num papel quadriculado, em notação de fácil leitura — o calendário dos três meses seguintes, que colaria na antepara ao lado da mesa de navegação, acabei buscando uma folha maior e ampliei em mais de um ano a cartela quadriculada.

Resolvi não apressar a volta, e ganhar um ano em minha viagem.

Fazer uma volta com a qual sonhara secretamente antes de deixar Jurumirim e que agora se aproximava mais e mais. Resolvi, em pleno gelo antártico, retornar pelo caminho mais longo, conhecer — antes de voltar ao Brasil — o gelo ártico, para onde haviam seguido as *stern*. No outro lado da terra, quem sabe, um outro lado do gelo.

10

A BAÍA PARTIDA

"**N**ossa Senhora! Lá está ela", enfiei os binóculos na mochila, a alça dos bastões nos punhos e parti pela encosta deslizando em sua direção. Que luta para encontrar a minha pá, plantada cinco meses antes no alto da montanha. Ela marcava uma das traiçoeiras gretas que, durante o outono, encontrei no caminho por terra que fazia para ir a Port Lockroy. A enorme e profunda fenda já naquela época estava quase toda coberta por pontes de neve que, ao menor descuido, cedem e engolem desavisados transeuntes. Para sempre.

A pá delimitando o início das fendas mais ameaçadoras estava quase soterrada pela neve do inverno, pouca, para minha surpresa, e só o punho ainda era visível. Usei-a para fazer um abrigo subterrâneo, uma espécie de iglu cavado na neve, que visitava de vez em quando, sempre armado até os dentes, com esquis, bastões e uma longa vara para espetar o caminho à frente e localizar novas fendas. Gostava do lugar. Que vista extraordinária! Num dia de sol como aquele, a paisagem distante deformava-se com a refração da luz sobre a superfície branca, criando um fascinante arco de distorções. Passava horas admirando as montanhas e picos em frente, as ruínas da velha base no sopé da montanha, ou, lá no fundo, do outro lado, os rastros de esqui que partiam de um minúsculo e distante objeto vermelho preso no mar congelado. Se havia vento, entrava no "iglu cavado", iluminado por uma estranha luz azulada que atravessava a neve. Dentro, uma câmara de silêncio absoluto.

Agora o velho iglu estava quase soterrado e eu não mais dispunha de tempo para reiniciar as escavações. Devia retornar rápido ao barco. Dentro de uma hora, às 14:30 hora local, 16:30 GMT, eu teria um comunicado com o Álvaro, numa frequência especial, onde falaria com o Hermann sobre o novo plano.

Há algum tempo havíamos acertado um projeto muito especial. O Hermann era, talvez mais que eu, perdidamente apaixonado pela escuna azul, o *Rapa Nui*, e também sonhava em fazer uma viagem antártica. Durante a construção do *Paratii*, ele realizou a desmontagem e completa reforma do barco azul, enquanto eu ia estudando seus detalhes construtivos. Conhecia-o bem como ninguém e combinamos, então, que ele formaria uma tripulação, de quatro pessoas no total, prepararia o barco para dezembro e desceria à Antártica antes que eu partisse. Uma linda ideia.

Um encontro no gelo entre o *Paratii* e o *Rapa Nui*, novamente juntos, bordo a bordo, como nos tempos da Hanseática, no Guarujá, ou como em Jurumirim, quando havia árvores em volta. Um encontro estratégico também.

O *Rapa Nui* poderia trazer os documentos de navegação, novos almanaques, *pilot charts* e cartas que eu precisaria se quisesse seguir sem escalas para o norte. Traria também um estoque fresco de filmes, pilhas para os equipamentos e, depois, retornaria com o material excedente que, encerrada a invernagem, já não mais me seria útil. Mas havia um detalhe, nessa longa travessia que planejávamos. O Hermann não tinha experiência em travessias oceânicas, apesar das absurdas viagens que fizemos pelo litoral brasileiro a bordo de decrépitas embarcações. Seria uma viagem complicada, com terceiros a bordo, e que exigia atenção. Eu me preocupava um pouco, ele também, mas, por outro lado, nas mãos de mais ninguém no mundo eu deixaria um barco como o *Rapa Nui*. Além disso, experiência em águas frias e difíceis quase ninguém no Brasil tinha e, no final das contas, no mar conta muito mais, infinitamente mais do que a experiência, a iniciativa, o respeito e a capacidade de aprender. No meu amigo, sócio e companheiro de remo na universidade, eu podia confiar. Navegadores experientes e sábios, sentados em varandas de clubes ou dirigindo imponentes brinquedos de plástico havia muitos que nunca saberiam o que é navegar em latitude. Ir além de mares demarcados. Isso, pelo menos, ele sabia.

Nasceu, a partir desse comunicado, uma lista de encomendas que cresceria a cada semana e uma deliciosa expectativa que aproximava dois barcos em velocidade. Se pudessem partir logo no início de dezembro, talvez chegassem por volta do Natal, neste mesmo ano. Cercada de neve por todos os lados, a torre do *Paratii* com a mesa do rádio transformou-se numa fábrica de planos. Na verdade, uma eventual mudança no caminho de retorno tinha, de certo modo, sido prevista. E o que permitiria ao *Paratii* seguir por uma rota completamente diversa era um detalhe logístico precioso em viagens, do qual por nada no mundo eu abriria mão: autonomia. O balanço de provisões feito em setembro mostrou que, em combustível, peças de reposição e material de manutenção, eu estava equipado para mais um inverno, sem malabarismos de economia. O ambulatório odontológico, preparado pelo Fêca, o meu amigo dentista, Fernando, continuava intacto e me dava condições de realizar vários tipos de intervenções e reparações de emergência, todas elas estudadas e ensaiadas com antecedência. Obturações, reparação de cáries, anestesia e um monte de situações que causavam um frio na barriga só de se imaginar, mas que não me surpreenderiam. O que o Fêca não imaginava era como eu me tornara dependente dos espelhos e instrumentos odontológicos para fazer intervenções nas conexões elétricas dos rádios, ou para checar o estado de parafusos inacessíveis na casa de máquinas.

Na seção de emergências havia ainda outra obra-prima: uma farmácia e um pronto-socorro portáteis, que outro amigo, o Edison Mantovanni, montara com especial carinho.

Já havíamos participado juntos de muitas viagens e velejadas e, em regatas, o Edison se habituara a fazer operações em situações movimentadas. O único problema eram as visitas em seu consultório e o ar surpreso de suas pacientes enquanto eu aguardava na salinha de espera. Ele é ginecologista.

A farmácia só não estava intacta porque o Edison incluíra um kit especial de ortopedia, absolutamente irresistível, com todos os tipos de fantásticos materiais para imobilizações e atendimentos de emergência. Com a minha caixa de ferramentas, a mala de ortopedia e um pouco de paciência, poderia construir, fácil, fácil, um barco novo se o *Paratii* fosse esmagado pelo gelo.

O primeiro paciente da farmácia do Edison foi a Bárbara, que havia cortado o pé esquerdo em algum lugar, talvez tentando passar entre as pedras e o gelo na hora errada da maré.

Terminado o QSO com o Hermann, saí, apliquei na Bárbara uma camada grossa de pomada e as *chonis* que estavam bicando o seu ferimento se afastaram.

Mas, ao fazer planos, a mais espetacular garantia de autonomia era o programa de alimentação embarcado no *Pa-*

ratii. Um projeto mais complexo do que a própria construção do barco e que fora iniciado antes mesmo de existir qualquer barco. Quatro anos de trabalho. Testes, degustações, experiências sem fim, para não errar pela barriga. A querida Flora, especialista consagrada no assunto, dirigiu o projeto, que foi executado pela Nutrimental, sua antiga empresa. Um grupo simpático e dedicado de nutricionistas e técnicos de alimentação, sob o comando da Takako, uma japonesa mais dura que um general, mas em quem descobri uma doce pessoa, elaborou um programa de alimentação completo, para três anos e meio de navegação, sem reabastecimento, reposição ou refrigeração, e que deveria ter uma durabilidade de cinco anos. Café da manhã com frutas e queijo de minas, salada fresca, um strogonoff, uma torta de frango, ou um beirute com pão fresco — cinco anos no futuro, sem usar latarias ou congelados, sem pôr os pés num supermercado — um desafio de verdade. Perto de noventa mil pacotes etiquetados um a um com suas instruções, quase mil itens diferentes, sete programas e dietas, panelas e talheres, germinadores especiais de grãos, além de programas de emergência, sobrevivência e abandono do barco. Dois livros de culinária e instruções, com cento e noventa páginas cada um. Um show de cozinha, em condições no mínimo originais, que poucos bons restaurantes conseguiriam igualar.

Por que três anos e meio de autonomia? Simplesmente porque antes de vir a um lugar como a Antártica é bom pensar no pior. E a pior coisa que eu poderia imaginar era não ter a liberdade de ficar eventualmente mais um ano (possibilidade, às vezes, compulsória) ou partir por mais um par de anos em outra direção.

Não foi um exagero e muito menos uma precaução no caso de uma invernagem forçada. Apenas uma bela ousadia, dessas que fazem pessoas diferentes se juntarem para ir mais longe. E, na atual circunstância, taifeiro e cozinheiro do meu navio, eu sabia que podia ir muito longe e passar bem.

Ao contrário do que ocorre em navios e bases polares, onde a alimentação gordurosa parece uma regra e quase sempre gera distúrbios alimentares e pesquisadores mais pesados, aos poucos fui passando para uma dieta mais leve, um número maior de refeições, praticamente abolindo gorduras, como previra a Flora. A vantagem final era na hora de lavar panelas e pratos, uma triste obrigação da qual não se escapa nem mesmo no fim do mundo.

Ao abrir, no penúltimo sábado de setembro, o contêiner da semana 35, eu renovei a esperança de constatar se, entre as novidades, por engano, havia mais mousses, sorvetes ou chocolates do que o previsto. Infelizmente, tal possibilidade permanecia remota.

Desde a gravação — acidental — do programa boêmio da Rádio Gaúcha, dois meses antes, adquiri o hábito de anotar, sempre que estivesse em casa, pelo menos um dos boletins meteorológicos em código que a estação americana Palmer transmitia para a estação inglesa Faraday, uma sequência de quinze a dezessete números que descreviam com precisão a situação do tempo nas seis horas anteriores:

FOUR NINE EIGHT NINE FIVE (PRESSÃO 989,5 HP)
FIVE THREE ZERO TWO NINE (SUBIDA DE 2,9 HP PARA
AS PRÓXIMAS TRÊS HORAS)
THREE THREE THREE
ONE ONE ONE FOUR FOUR (MÁXIMA DE −14,4°C)
TWO ONE ONE SEVEN TWO (MÍNIMA DE −17,2°C)...
AND OFF.

A BAÍA PARTIDA

Sempre a mesma voz. Um tal Ajo, muito objetivo nas informações e claro na pronúncia. Logo após o "and off" sempre batia um papinho com o operador de rádio de Faraday, contando as novidades do dia e do inverno. A vida em isolamento nas bases é terrivelmente monótona e solitária, há restrições para deslocamentos e muitos dos pesquisadores ingleses, por exemplo, passam dois anos trabalhando fechados num galpão plantado numa ilha não maior que um Maracanã, sem nunca se afastar mais de cinco milhas ou visitar outros lugares antárticos. Nada comparável ao bem-estar e liberdade a bordo de um barco que, findo o gelo, pode ir a qualquer lugar.

Às vezes, as conversas eram longas e, como não queria atrapalhar e nunca me manifestei, eles não imaginavam que havia um veleiro brasileiro invernando na península, e muito menos ouvindo a conversa "dos números".

No dia 25, dia do rádio no Brasil, passei por apuros sérios. Eu fazia 35 anos e era o dia do comunicado semanal com São Paulo. Um caos no escritório. A Cabeluda organizou uma bruta festa de aniversário, e todos os amigos estavam em volta do aparelho, soprando bolos e velas, rindo, gritando, comendo e bebendo, fazendo uma algazarra pior que a dos gentoos. Não tive escapatória e, por mais breve que quisesse ser, acabei entrando na festa, a cinco mil quilômetros de distância. A querida Zezé e a minha irmã me fizeram abrir cartas e presentinhos escondidos no *Paratii* desde o ano anterior. Desliguei o incrível aparelho, meio sufocado, com um certo alívio. Não é fácil sentir tão próximas as pessoas mais importantes do mundo e estar tão solidamente afastado.

Fazia calor, quase 0°C, e eu estava sentado na cadeira giratória do rádio, com a porta aberta e os pés para fora. Uma reluzente garrafa de champanhe, a meio caminho do fim, jazia espetada na neve, logo à entrada. Era um dia especial e eu pensava em como aquele aparelho cinza-escuro, cheio de botões, ligado a uma antena do lado de fora, era capaz de interligar, através de distâncias tão grandes, sentimentos e pessoas. Por meio daquela caixa de fios e circuitos, eu podia administrar planos, ouvir notícias e estações de todo o mundo, resolver dúvidas, fazer silêncio ou até soprar as velas de um bolo a cinco mil quilômetros.

Distraído, pensando, com o rádio desligado, quase me esqueci do boletim meteorológico de Palmer Station, do qual eu era ouvinte anônimo. Quando pressionei o "on" e mudei a frequência, os números já estavam no fim.

"EIGHT FOUR THREE FIVE SEVEN AND OFF."

Paciência. Eu pegaria os dados outro dia. Fez-se um breve silêncio no aparelho e de repente ouvi um CRECK e...

"AMYR... AMYR, ARE YOU THERE?"

"Jesus Cristo! Estão me chamando, estão me chamando!", gritei em pânico. Como? Como me descobriram? Como? O microfone! Cadê o microfone?

Voei da cadeira atrás do microfone e, quase sem voz, respondi. O operador de Palmer, Ajo, por obra de um amigo muito especial — o PY 1 ZAK, o Peter da Macaca, na ilha Grande —, recebera, por meio de uma mirabolante rede de radioamadores e estações, uma mensagem para a tripulação brasileira do *Paratii*.

"Aha! I got you... Ok, Amyr... I have a message for you... hold on... one second please..."

Uns cinco segundos se passaram, eu aguardando a mensagem e, subitamente, um coro de vozes gritando no volume máximo:

"Happy birthday to you, happy birthday to you..."

O pessoal todo da estação Palmer, desconhecidos e queridos, colegas anônimos do mesmo inverno, cantando parabéns. O fim do mundo. Quase morri do coração nesse dia. Uma segunda rolha estourou na baía Dorian e, pela primeira vez, não precisei imitar um pinguim para parecer um. No dia seguinte, encontrei no diário uma anotação meio torta: "Não sei como voltei para casa...".

* * *

Início da primavera, os dias logo após o equinócio coincidiram com uma quadratura lunar e com um pequeno efeito retardado, eu aguardava grandes marés e, talvez, rachaduras no gelo mais próximo às pedras. Mas o gelo estava com mais de um metro e meio de espessura e, durante uma maré tão baixa que o *Paratii* quase tocou o fundo, aconteceu um fenômeno curioso. A placa gelada da baía apoiou-se sobre as pedras ao redor e em muitos lugares o gelo ficou "oco", ou seja, suspenso sobre o mar e produzindo barulhos incríveis. A compressão das placas contra as pedras produzia um canto agudo, como nunca tinha ouvido até então, e, sob o gelo, movimentos mínimos da água ecoavam, como em galerias subterrâneas, um som amplificado e assustador de ondas aprisionadas. Que coisa! Cada dia um espetáculo novo. De fato, a maré estava tão baixa que o gelo em volta do *Paratii* tomou a forma de um prato fundo. "Que linda oportunidade para tentar ver o estado da âncora de proa!" Saí, sem esquis, na direção do Theobaldo e encontrei um vão por onde ele havia passado para conseguir sair da água. Não havia mais água embaixo do gelo, e eu poderia, agachado, entrar por ali. O único problema é que, se o gelo cedesse, eu ficaria com a consistência de uma lesma. "Se o Theobaldo passou, por que eu não passaria?" Entrei rápido, com um certo medo.

Que impressão maluca. Debaixo do mar congelado, saí engatinhando sobre pedras, poças d'água, mariscos e lama, na direção provável da âncora, por uma galeria natural com no máximo noventa centímetros de altura. Milhares de toneladas de gelo sobre as minhas costas e a luz atravessando o "teto" gelado com uma cor azulada. Silêncios espaçados entre o som ensurdecedor de respiração e sucção quando água e gelo se tocavam. Que ideia! Fiquei imaginando que, se algo acontecesse, meses depois alguém encontraria uns restos de patê humano de procedência brasileira, embalado em roupas de goretex, ao lado de um lindo veleiro vermelho, firmemente ancorado. Firmemente, sim. Encontrei a âncora num lugar onde o vão estava muito baixo e, me arrastando deitado, consegui tocar a manilha e a amarração. Perfeitos. Voltei o mais rápido que pude até a primeira abertura para a liberdade que achei.

UFA! Que alívio, ar livre! Sentei-me na borda de uma placa enorme, com as botas numa poça d'água, as roupas encharcadas, meio ofegante e morrendo de alegria. Um pequeno comitê de recepção estava a postos logo na saída. Seis ou sete gentoos que, provavelmente, haviam feito a mesma coisa. Andar sob o gelo, com perícia e cuidado. Sempre próximos às pedras maiores de apoio para não serem, por um mau acaso, esmagados.

Sem perceber que estava mais ou menos ensopado, passei quase uma hora ali, olhando o trabalho mágico, faraônico, incessante, que os pequenos gentoos faziam.

Após o retorno do sol, em agosto, os elegantes bichinhos abandonaram sua vida errante de inverno e se fixaram nas colinas próximas, formando casais. Período de namoro onde os pares recém-formados e fiéis escolhiam o local do futuro ninho. Durante semanas viveram uma interminável troca de entregas e delicadezas e, alternadamente, saíam em missões cujo objetivo não compreendi a princípio. Estavam procurando passagens no gelo, não para pescar, mas para ir à cata de pequenas pedras. Não havia muitos lugares livres de neve ou gelo, e encontrar pedrinhas era uma árdua tarefa. O macho voltava horas depois, com uma pedrinha que colocava aos pés de sua companheira (ou vice-versa, não era simples descobrir quem era quem), que agradecia com um sopro gutural e asinhas para trás, e repartia, por sua vez, atrás de outra pedrinha num contínuo revezamento. Eram as pedrinhas que formariam seus ninhos, para os ovos que viriam em outubro-novembro. Pedrinha por pedrinha eles iam buscar em infinitas viagens, para cada viagem uma única pedra, e, ao final de um dia, muitas vezes um casal não encontrava mais que uma dúzia delas. Casais mais velhos e experientes escolhiam lugares protegidos do vento e do degelo e nunca abandonavam o seu pequeno estoque de pedrinhas. Casais mais jovens e apaixonados, às vezes, iam, os dois, à cata de pedrinhas e quando retornavam os vizinhos haviam roubado as que haviam deixado. Promoviam, então, uma escandalosa gritaria, até que um vizinho consentisse em ceder alguma pedrinha e logo voltavam a viver outra vez em harmonia.

 Semanas a fio, depois meses, acompanhei o trabalho deles, pedrinha por pedrinha, trazidas uma a uma, noite e dia. Às vezes, um casal escolhia uma laje inclinada para fazer o ninho e, ao acrescentar uma pedrinha a mais, todas as outras rolavam para baixo e caíam no mar. Ou então, um pedaço de neve se desprendia com o sol e levava embora semanas de pedrinhas. Em segundos eles recomeçavam, no mesmo lugar e com a mesma paciência, a ajuntar novas pedrinhas. Duvidei muitas vezes que todos conseguissem terminar seus ninhos. Alguns ninhos ao final teriam mais de duas mil e quinhentas pedrinhas, mais de duas mil e quinhentas viagens.

Em setembro desenhavam-se os bairros ou regiões da colônia que se esparramava pela ponta Damoy. Uma incrível arquitetura social de animais tão dependentes e ao mesmo tempo tão concorrentes entre si. A posição dos ninhos obedecia a certas regras de defesa e convivência. Se fossem um pouco mais separados, permitiriam a entrada ou o ataque das *skuas*, predadoras de seus ovos e filhotes. E juntos demais não podiam também ficar, pois fatalmente um casal roubaria as pedrinhas do vizinho. Nos núcleos, as avenidas de acesso por onde passavam os pinguins em trânsito eram centímetros mais largas, e quem ali parasse era premiado com uma chuva de bicadas. Em pouco tempo a cotação das pedrinhas na baía alcançou as estrelas.

Ora diminuindo, ora aumentando, a neve revelava novas fontes de pedrinhas usadas em estações passadas. Eu sempre andava com algumas no bolso e, às vezes, sacudia-as na mão e as deixava — três ou quatro — entre as minhas botas. Imediatamente um pequeno grupinho se aproximava, a quarenta ou cinquenta centímetros dos meus pés, olhando as pedrinhas, avaliando a minha altura e entreolhando-se, até que um mais ousado tomava a iniciativa, agarrava uma delas e saía correndo — feliz da vida — de volta ao seu ninho. Traços de comportamento tão semelhantes aos humanos: dúvida, medo, ousadia. E pequenas falhas também. Furtos, desvios e desaparecimento de pequenas pedras, que eles, gentoos, sabiam resolver e perdoar com uma sabedoria que não há entre animais humanos.

Em meados de outubro, os dias tornaram-se bem mais longos do que as noites. A Bárbara desapareceu num sábado e ao retornar na segunda estava acompanhada do Horácio. Um peludo filhote que berrava sem parar e com quem nunca me entendi direito. Um casal de gentoos, o Theodoro e a Mariana, que eu identificava porque o Theodoro tinha a asa esquerda cortada talvez por uma foca-leopardo, terminara um dos mais bem construídos ninhos da região. Saíram os primeiros ovos. A maioria dos casais com dois. Um único ninho prodígio com três ovos, o da Maria Amélia.

Tempo bom por fim, com frio e sol, o gelo cada vez mais duro, prometia liberdade ao *Paratii* apenas para novembro ou dezembro.

E, então, uma surpresa terrível. Numa nova semana de marés muito fortes, o barômetro despencou e uma daquelas tempestades, que já não assustavam mais, pegou a baía Dorian por trás, por sudeste. O gelo do canal de Neumayer não estava firme, acumulou-se num dos lados e abriu uma faixa de mar livre bem em frente à baía. A maré estava extraordinariamente alta e, por uma vez, a placa inteira da baía Dorian não se quebrou, mas ganhou espaço, soltando-se da encosta com o *Paratii* plantado no meio e ameaçando sair, com barco e tudo, por sobre as pedras da entrada.

Os cabos todos que prendiam o barco agora seguravam a baía inteira e, caso se rompessem, estaria frito. Se ao menos o gelo quebrasse e partisse em pedaços para fora... mas não. Vesti o gorro azul de lã, pulei do barco no gelo, dei uma volta correndo nervoso, tentando imaginar uma solução. Não havia. Iríamos todos para as pedras.

O Horácio, da Bárbara, berrava como um alucinado e me deixava ainda mais nervoso. Droga! Fazer naufrágio depois de tanto tempo era o fim. Por mais forte que fosse o *Paratii*, não restaria do meu barco muita coisa se fosse empurrado contra as pedras pelo gelo. Seis ou sete vezes saí e voltei. Os cabos todos estavam sob o gelo, e eu não sabia o que fazer. Silencioso, com a cabeça e a tromba apoiadas sobre uma pedra, o Theobaldo apenas olhava. Mas eu não podia ficar de braços cruzados.

FELIZ ANIVERSÁRIO CABELUDA! 41

DOM 14 OUT. 90   −5°C +3 ???

— SANTO DEUS! O MONSTRO BATE NA
MINHA PROA! PUXA É MAIOR DO
Q EU PENSAVA E TOCA O FUNDO...

S 5/10 NW/CALM
OVERCAST
BAIXO ↗

— UM DOS "FILHOTES" QUE PARECIA-
TÃO PEQUENO TB TOCA O FUNDO

TOWING THE MONSTER

— MOTOSSERRA NO BICHO!
— MELHOR PARAR ELE PODE CAPOTAR E AI VAI
       TODO MUNDO PRA AGUA
— FINALMENTE RESGATADO ENFIM E CABOS DA PROA LIVRES

INAUGURAÇÃO DO BOTINHO!! VIVA! FUNCIONA
              E SÓ TEM + 2 FUROS

20:30
OUTRA VEZ ESQUECI DE ANUNCIAR

— UFA! CONSEGUI RECUPERAR O CABO DE POLIESTER
QUE ESTAVA ENROSCADO NO FUNDO DA BAÍA, A
UNS 5 MTS DE PROFUNDIDADE.
— VOLTAR P/ CASA — AMIR ENSOPADO
                                                SO-
                                                COR-
— SUOR GRANDE: MACARRÃO MIL   RO!
                SALMÃO   PURÊ — BRANCO
                COL VIAGEM, MIONSE E ?   Q. DELÍCIA

QSL // LUID P/ZED ...AUS12   18.00   14:23

P/1 A1P - LUISA - RIC
P/2 W/ - ...

QUI 25 OUT 90   -2°   +5°

— DE NOVO ATAQUE NA ANTENA: CALM / NE 15/21
                                   BNO →
                                   SOL

SOL! E GELO FORMANDO RAPIDINHO   PASSARAM C/
                                      UM BANDO DE
MEU DEUS QUE CHORADEIRA!!   GENTOOS

LEO — TODO MUNDO PROCURANDO
DRAMA! SUMIU O FILHOTE
           DA PRIMA DA BARBARA

PUXA VIDA — A MARÉ ESTÁ MUITO
14:36 | UMBA! | BAIXA — TALVEZ NO MAR
8:(?) | BRINCA/TAVA | DAS ROTAS...
3/19 | COM ELE HJE |
SOL ? | AI AI AI — HOJE TINHA UM LEOPARDO BEM
11:05C | AQUI NA FRENTE
7:67 |
1:8:9 — ABL A S.I.1 ... CABOS — A ANT. 1 NÃO ESTÁ ATIVADA!
4:9C/7

                    QUEREMOS PÃO!
                    QUEREMOS PÃO!
00:1   QUEREMOS PÃO!
1(C7
3°4C   OK, OK — FAZER PÃO...
3:2/C
                                     UFA — ENCONTRARAM-SE
       CUUSA P/ EU — BLZ L.A /TERIC — VAI! SEM QUE VAI
       21:333 - 23:36 Z   CONGELAR DE ...!

As "catacumbas", meu Deus, a motosserra nas "catacumbas"!

Voei para o barco, tirei a motosserra, que nunca havia ligado, montei-a às pressas, os dedos tremendo; o manual de instruções aberto na frente, gasolina, óleo no tanque, sabre e corrente; e, ainda dentro do barco, dei partida. Minha nossa! Que barulho e que perigo a engenhoca! Não havia tempo. Atirei um galão de vinte litros de gasolina no gelo ao lado, duas latas de óleo para a corrente, o pequeno funil amarelo e saí como um tarado, disposto a fazer em pedaços a baía, mas preocupado em não cortar os cabos escondidos. Que desespero! Quando o primeiro pedaço cortado começou a desprender-se, eu estava a cem metros do galão de gasolina, com um pé em cada lado do corte que se abria pouco a pouco. Para qual lado pular? E como alcançar a gasolina outra vez? E se a ilha de gelo que eu escolhesse fosse embora e eu não pudesse mais voltar? Mil decisões ao mesmo tempo. Deixei a motosserra ligada de um lado, corri para pegar funil e gasolina do outro e, quando voltei, o gelo já se afastava com motosserra e tudo. Voltei para trás, corri e dei um salto. Um pé ficou na água, mas de joelhos e focinho aterrissei do outro lado. Comecei mais um longo corte, os dedos doíam, não de frio — fazia -10°C e ventava forte —, mas de tanto apertar o acelerador. Parti flutuando em outro pedaço com a máquina ligada numa mão, galão e funil na outra, a tempo de saltar bem onde estava o Theobaldo. Boca aberta, olhos arregalados com o escândalo que eu fazia, o pobre bicho como sempre não emitiu um único som. Dei a volta correndo sobre as pedras da baía até achar uma ponte de gelo e voltar para a placa maior.

Mais gasolina, mais óleo, pulando de um pedaço para outro como um doido, só parei nove horas depois. Nove horas ensopado do gelo que voava da corrente sobre as pernas. As costas doendo de tanto fazer força, os ouvidos zunindo. Mas, bem ou mal, eu tinha picado a baía inteira em pedaços, alguns maiores que uma quadra de tênis, agora empilhados sobre as pedras. Apenas duas ilhas de gelo continuavam coladas aos cabos, delas daria cabo assim que montasse o Vagabundo no dia seguinte.

    O querido *Paratii*, a salvo, flutuava outra vez. Exausto, atirei a motosserra desligada no "Instituto Butantan", e gritei. Gritei como um doido, de raiva, de ódio, de alegria. Gritei até não poder mais.

11

ATÉ A VOLTA, RAPA NUI!

Dormia como um anjo, deitado entre as camadas da Termosfera, quando... BANGT, BANGT... BANGT, BANGT, BANGT... Meu Deus! Outra vez esse gelo. É demais! Não se pode dormir um minuto em paz! Saí reclamando, com a cara amassada de sono, e levei um susto enorme:

"How are you, man! Are you alive?"

Duas criaturas humanas bem na minha porta! O Pete Marquis de volta! Puxa vida!

O último ser humano que vi no verão passado era o mesmo que quase me mata de susto agora, sete meses e meio depois! O navio do British Antarctic Survey (BAS), o *John Biscoe*, abrindo uma nova temporada, estava parado sob máquinas no canal de Neumayer. O Pete e o sujeito passaram por cinco minutos, só para dar um alô, tomar um café e deixar um pacote de frutas frescas! Que legal esse pessoal. Logo já se afastavam num bote de borracha alaranjado, em direção ao navio pronto para zarpar.

Verão outra vez, quem diria. Estranha sensação, a de rever um sujeito conhecido como se apenas um fim de semana tivesse passado. Que loucura! Todo um inverno se foi e passou mais rápido do que um fim de semana chuvoso! Adeus, noite polar, caminhadas sem fim sob o luar, noites de serenata para namoradas invisíveis. Competições de esqui ao redor do *Paratii*, visitas às geleiras impossíveis, tudo parte desse longo fim de semana que ficou para trás.

Alguns dias depois, o mesmo *John Biscoe* voltaria, e então muitas visitas, conversas, histórias aconteceriam.

A turma do BAS se foi para a base de Rothera, na baía Margarida, e para Fossil Bluff, trezentas milhas ao sul, mas a minha tranquilidade não voltou. Chegou o tempo de ir embora.

O *Rapa Nui* deixaria, dentro de algumas semanas, o Brasil, e tentaríamos um encontro, provavelmente ali, na própria baía Dorian.

O bote de borracha voltou a operar na mesma rota do verão anterior. Por outro lado, a bordo do *Paratii* ainda havia muito o que fazer. O convés coberto de neve, "serpentes" endurecidas no cockpit, as antenas de rádio, em V invertido, que deveria desmontar, revisão de motor e gerador, baterias, parte elétrica e instrumentos. O aquecedor Reflex foi substituído pelo pequeno que tinha a janela para o fogo. Havia ovos em todos os ninhos. Todos. Nenhum ninho deixou de ser concluído, quase mil e duzentos, e eu que duvidara que eles chegassem até o fim. O Horácio, cada dia mais gordo e desastrado, conseguiu, enfim, morder meu calcanhar. E o Theobaldo, sempre silencioso, desfrutando o calor das pedras escuras que apareciam pouco a pouco sob o gelo. O tempo voando. E todas as noites me esquecia que não havia mais escuro e acabava indo dormir quando já era hora do pão quente na Panificadora Continental, agora funcionando quase todos os dias.

No penúltimo dia de novembro, uma visita imprevista, no momento em que retornava de uma bem-sucedida escalada na "montanha mágica": o gigantesco iceberg encalhado havia meses no canal.

Mal acabei de entrar, um barulho infernal invadiu a tranquilidade da tarde. Quando olhei pela janela não pude acreditar. Pinguins voando! Batendo as asas morro abaixo, correndo pelas pedras em pânico, atropelando-se em desespero. Um caos! Um helicóptero monumental, surgido do nada, atravessou a ponta Damoy, que formava a "minha" baía, fazendo um voo rasante bem em cima das pinguineiras! Um imbecil e cretino helicóptero militar argentino, prefixo 2H238, que com certeza vinha de longe — baía Paraíso ou estreito de Gerlache — e poderia muito bem ter evitado os ninhos e pousado duzentos metros antes. Um bando de doze ou mais animais estranhos, cheios de patentes e máquinas fotográficas, que fizeram, como se não bastasse, dois pousos e duas decolagens para inspecionar um abrigo com as cores da bandeira argentina e que os ingleses usavam como banheiro. Que enorme ingenuidade a desses estrategistas geopolíticos de gabinete que teimam em espetar suas bandeiras nos lugares errados.

Os gentoos, assustados, abandonaram todos os ninhos, construídos após quatro meses de interminável coleta de pedrinhas, e as *skuas*, eufóricas, atacaram os ninhos quebrando ou carregando ovos para todos os lados. Uma semana mais tarde, ainda podia ver, através da água cristalina da baía, centenas de cascas de ovos pousadas no fundo. Foi a minha semana mais triste na Antártica, embora dezembro tenha sido o mais bonito e calmo mês. Muitos gentoos, quando retornaram, chocavam ovos quebrados em ninhos sem vida. Outros casais permaneceriam nos ninhos até o fim da estação, renovando-se, macho e fêmea, a chocar ovo nenhum, filhotes imaginários, enquanto seus vizinhos alimentavam os pequenos sobreviventes.

Num longo contato com o Brasil, falei em conexão radiotelefônica com um grande amigo da faculdade que fazia aniversário, o Bráulio Pasmanik, que queria, a todo custo, saber que história era aquela de uma tal de Bárbara, e por que eu não estava mais sozinho. Fiquei sabendo nesse QSO que o *Rapa Nui* estava atrasado e não chegaria a tempo de passarmos juntos o Natal. Falei com meu pai e, ouvindo a sua voz brava e emocionada, fazendo citações em árabe, quase podia ver as suas enormes suíças e o seu olhar forte.

No dia 15 de dezembro nasceram os primeiros filhotes gentoos da baía Dorian. Novos habitantes no planeta. O grande primeiro a sair do ovo ganhou o nome de Germanito, vizinho a uns dez ninhos de distância de Mariana e Theodoro. No dia 16, o *Rapa Nui* enfim saiu da casca e deixou o Brasil. A esta altura, eu estava tão nervoso quanto eles, mas o nosso tão sonhado reencontro apenas seria possível na segunda quinzena de janeiro — tarde demais para viajar ao sul e visitar o pessoal do BAS na baía Margarida. Havia ainda gelo na altura na ilha Renaud, dificultando a passagem para o sul.

Doente de vontade de partir, de fazer renascer meu barco vermelho, ver se tudo funcionava após onze meses de estadia, resolvi aguardar apenas mais uma semana e tentar alcançar a baía Margarida a tempo de encontrar na volta o *Rapa Nui*.

No dia do solstício de verão, a velha lavanderia nas pedras voltou a funcionar, embora ainda estivesse semissoterrada. Roupas limpas e secas, tudo checado e pronto. De manhã, um pouco mais frio, −20°C ou −30°C, o mar ficou tão calmo e cristalino que uma placa de vidro de uns dois centímetros formou-se sobre a baía. Comecei a operação de remover todos os cabos.

Esperei muito por esse dia, o momento de recolher os cabos e partir. Tantas vezes a minha viagem e o *Paratii* dependeram desses cabos, feitos com tanto carinho e com

SAB. 15 DEZ. 90   +5°   +2°

BARO [→]
SUN/SUN
NE/SE 00/03

DIA DE CRISTAL

MAR ESPELHADO
GELOS BRILHANDO
Q. NECCL B(N)X   3 M/S DE BRISA

DEAR "OLD JAMAICA" EM TRAJE DE GALA

EXPLICAÇÃO P. LOZIC...

**BEM VINDOS
AO MUITO-NOVOS
            HABITANTES...**

- FILHOTES DE ~~SKUA~~ CORMORAN (soret) NASCIDOS ESTES DIAS - OS 1ºˢ
- NENHUM PINGUIM NOVO AINDA
- AH! A "MARIA AMÉLIA" C/ 3 OVOS E UM SUPER NINHO.
→ - 2 FAMÍLIAS E 4 OVOS EM CASABLANCA ISLAND.
- THEOBALDO UM JOVEM ELEFANTE. COCHILANDO NO SOL (AFTER LUNCH, HEHE.
- NINHOS DE A. STELL (NA PLOM. NA) E SKUAS - (MONOCROMÁTICOS)
- VISITA À MONTANHA "DERRETENDO"
DE VOLTA PRA CASA... UFA
INST. DA DOBRADIÇA PIANO NA POPA

21.36
8906L
32979
60000
1001J
21019
49871
5200Z
81048
111
10044
20000
81359
86675
OFF

petência por uma cordoaria do Sul, São Leopoldo. Um ano de trabalho contínuo, esforços absurdos, abrasão, sol, gelos afiados como navalhas — e nem um fiozinho puído. Todos intactos e macios como no primeiro dia.

    Com o motor de popa já guardado, fui para as pedras remando o Vagabundo, quebrando a superfície gelada da água com o meu remo feito em Paraty. Trabalhava rápido. A maré estava mais ou menos cheia e soltei, sem problemas, os cabos que vinham da "pedra chata" e da "pedra sul". Mas quando cheguei na "âncora de misericórdia", nas pedras a nordeste, havia um metro e pouco de água e por mais que tentasse não consegui soltá-la. Paciência. Não parei para pensar, não havia ninguém para ajudar e eu não ia ficar esperando maré nenhuma para sair. Quebrei, com o cabo do remo, um pedaço maior de gelo em volta e, de roupa e tudo — macacão, blusa de lã e botas —, tomei ar, mergulhei, agarrei a maldita de cinquenta quilos, joguei-a no bote, e saí remando como um alucinado para trocar de roupa em casa. Tão rápido que nem sequer tive tempo de sentir frio. Logo em seguida, seco, com os cabelos penteados e o coração batendo, acionei o motor e o guincho da âncora principal. A corrente chegou ao fim, a âncora encaixou-se no púlpito com um tranco e lentamente o *Paratii* começou a deixar a baía Dorian.

    Quase um ano da minha vida estava ali. Um lindo e agitado ano em que conheci mais pessoas e coisas sobre o mundo do que em todas as viagens que havia feito até então. Um ano unicamente meu que jamais esquecerei.

    Muitos filhotes nasceram nessa última semana. A Bárbara partiu para sempre e do Horácio não tive mais notícias. Fazia um silêncio cristalino e o *Paratii* ia trincando com delicadeza o fino gelo rumo à saída da baía. O único mamífero que continuava em terra era o tímido e quieto elefante-

-marinho de sempre. Até hoje não sei por que, ou como aconteceu, mas, exatamente no momento em que passei entre as pedras da entrada, o Theobaldo, que nunca emitira um único som, levantou a cabeça e começou a berrar. Eu berrei de volta e ele não parou. Berrava sem parar, a plenos pulmões, talvez de alegria, talvez não, o novo solitário proprietário da baía Dorian, ao passar pela ilha Casabianca.

Foram os seus berros a última coisa que ouvi da baía Dorian.

* * *

Na véspera do Natal fiz uma escala de trinta e seis horas em Palmer Station, onde conheci o Ajo e quatro das mais engraçadas pessoas que eu vi em toda a minha vida. Mary Franklin, uma *body builder* do Alasca — loira de morrer —, o doutor paquistanês Farouk, do Cripps Institute da Califórnia, o médico Matt da base e uma doutora em glaciologia que quase teve um colapso de tanto rir. Uma linda parada, onde quase destruí o barco, ou melhor, a Florence, o leme de vento. Manobrando o *Paratii* em frente à base, choquei-me violentamente de ré contra um iceberg que saiu em velocidade do estreito canal. Uma parte do monstro quebrou e ficou engastada na estrutura tubular que protegia o leme. Além do assustador estrondo, nada mais aconteceu. Se não tivéssemos previsto a monumental estrutura, desenhada pelo Jean num de seus dias de inspiração, com certeza eu não teria nem mesmo a sombra do leme como recordação.

Quando parti, após testemunhar o escandaloso choque que provoquei contra o gelo, o dr. Farouk manifestou visível preocupação com as minhas habilidades como navegador.

Consegui um contato com o Pete e o Alan, ou mr. Osborne, como o chamavam em Rothera.

"Brrrilliant, colonel Klink! Brrrilliant! Everything's fine here in Marguerite Bay! When are you coming, Amyr?", ele sempre brincava com o seu divertido sotaque escocês.

Ainda havia um cinturão de gelo no caminho para o sul. No dia do ano-novo, parei na ilha Hovegaard, onde estava o Hugo, que passara uma temporada difícil. O seu barco continuava preso no gelo, e ele teve de aguardar ainda algumas semanas até ficar livre. Ao norte da ilha Pleneau, logo à saída do belíssimo e impressionante canal de Le Maire, visitei uma pinguineira, também de gentoos, que batizei de "Apocalipse Rockerie" — lugar impressionante pela beleza e pelo drama que se passava com os pinguins.

Uma enorme família de elefantes-marinhos instalou-se entre os ninhos, alguns com ovos ainda, dos pequenos gentoos. Os parentes do Theobaldo não são animais de fato agressivos, nem atacam pinguins, mas em seu brutal e pesado deslocamento muitas vezes arrastavam ninhos inteiros sem se dar conta. Os pequenos não se intimidavam nem fugiam. Até o último segundo, chocando ovos ou protegendo os filhotes, bicavam e gritavam contra três ou quatro toneladas surdas de elefante. Não havia muito o que fazer, e ao ver tantos ninhos destruídos e casais que ainda assim permaneciam juntos, no mesmo lugar, como se não tivessem perdido seus filhotes, lembrei-me do helicóptero argentino.

No dia 9 de janeiro, eu descia para o sul rumo a Cristal Sound, elétrico, doido de alegria e excitação. Que pedaço do mundo diabolicamente lindo, e que enorme alegria sentir o *Paratii* perfeito, absolutamente perfeito, projetando a sombra de suas velas em icebergs das mais incríveis cores! Estava em dúvida se faria uma escala ou iria direto para a ilha Adelaide. Precisava dormir e pela primeira vez não podia deixar o barco só nas mãos do "piloto pardo". A todo momento era obrigado a desviar de gelos grandes ou folgar as velas para atravessar um campo de *brash-ice*. Vela e motor juntos, no caso de precisar fazer uma manobra de "salvação".

Mas a dúvida desapareceu em segundos. Junto com o sol cristalino, o tempo fechou como num filme de terror. Seis graus positivos e chovendo canivetes! Chuva de verdade, neblina grossa como algodão e trinta e cinco nós de vento nordeste. Que beleza! Que alegria! Que mais eu poderia desejar de tétrico e terrível? Mas salvei minha reputação após a desastrosa manobra em Palmer. Entrei magnificamente na fenda de Mutton Cove, minúscula ilha com uma abertura formando um cais natural de pedra, pouco maior que um barco, e, sem quebrar um ovo, atraquei, numa manobra impecável que, infelizmente, ninguém viu.

Não é muito simples encostar um barco sem poder errar ou voltar atrás com todo esse vento e sem ter ninguém para tomar os cabos, ou um lugar pronto onde se amarrar, mas aos poucos fui desenvolvendo uma técnica e certo talento malabarístico com cabos, correntes e bote de borracha para, em segundos, imobilizar o *Paratii* antes que ele partisse sem ninguém a bordo.

Os rolos de cabos de amarração, que liberavam continuamente até duzentos metros de cabo, foram, nessas situações, mais úteis do que uma dúzia de marinheiros enferrujados.

Nesse mesmo dia falei, pelo rádio, com o Hermann, no *Rapa Nui*. Que emoção! A bordo estavam, além dele, o Eduardo "Voador", o Fausto e o incrível professor Villela em sua, no mínimo, vigésima viagem antártica. Posição 50°32' Sul, 65°59' Oeste, às 19:50 GMT. Eles vinham mesmo. Acabavam de entrar nos *screaming fifties*, em pleno país dos albatrozes, acompanhados por dúzias deles. Mais quinze graus de latitude e, se tudo corresse bem, logo nos veríamos.

No quarto dia de chuva, em Mutton Cove, fui sumariamente despejado da fenda onde estava atracado. O vento passou a sul e a minúscula e estreita baiazinha encheu-se de gelos enormes. Não tive nem mesmo tempo de terminar o café. Pulei do barco para as pedras, soltei todos os cabos presos no alto da ilha a tempo de voltar ao barco e tratei de sair com motor a fundo antes que ficasse preso. Uma verdadeira ratoeira, Mutton Cove, quando sopra o sul. E, então, como prêmio pela iniciativa, saiu o sol e o vento docemente retornou a nordeste, favorável para descer. Que delírio!

Vinte e sete horas e quarenta e cinco minutos depois, sem piscar, contornando gelos sem fim, quase sem tempo para fazer um café, ancorei em Lagoon Island, sob um tempo de fadas.

Logo ao cruzar o círculo polar antártico atravessei um festival de baleias — humpback, creio —, um verdadeiro espetáculo entre pedaços brilhantes de um gelo "prismático" que não vira até então. Que imensa e linda a baía Margarida! Batizada por Jean B. Charcot, em 1909, a bordo do belíssimo três mastros *Pourquoi Pas?*, em homenagem a Meg, sua adorada segunda esposa. A primeira divorciou-se dele por abandono do lar durante a sua primeira invernagem antártica com o *Le Français*, em 1904-5.

O Gullet, o estreito canal pelo qual se pode alcançar a baía e que separa a ilha Adelaide do continente, estava fechado e acabei entrando na baía Margarida por fora da grande ilha. Apesar de sua extensão, não há na baía Margarida tantos ancoradouros como poderia imaginar quem examinasse a carta. O que existe, diferente talvez do resto da península Antártica, é uma beleza natural larga e ampla, onde um barco não se sente aprisionado nem apertado.

Espaço por todos os lados, sol dia e noite, por uma semana de paz que poderia ser eterna, o *Paratii* foi hóspede da extraordinária baía Margarida.

Mas, devido a um pequeno detalhe, quase foi mesmo eterna essa semana. No lado sul de Lagoon Island, descobri uma pequena piscina de degelo, ideal para buscar água e lavar roupas — eterna obrigação. Acabava de fazer novo contato com o *Rapa Nui*. O Eduardo me passou a nova posição: 60°48' de latitude sul, 64°16' de longitude oeste. Puxa vida! Navegavam em pleno Drake e a menos de trezentas milhas da baía Dorian. Estávamos agora à mesma distância da minha querida baía de inverno. Como a comunicação estava péssima, o Eduardo pediu um novo contato dentro de quarenta e cinco minutos. OK. Concordei e, não sei por que, inquieto, resolvi atacar nesses quarenta e cinco minutos o problema da água e das roupas. Pulei com dois baldes no bote, dei partida no motor e saí voando em direção à piscina de água doce. A âncora! Puxa! Esqueci a âncora! Bom, se voltasse, não haveria tempo; continuei assim mesmo e, em vez de deixar o barco numa espécie de prainha e atravessar a ilha a pé, fui por mar, pelo lado de fora, para ganhar tempo. Mal comecei a trabalhar na beira da piscina, surgiu uma sombra no céu e começou a ventar. "Opa! Melhor esquecer a roupa e voltar, vem vento por aí."

Retornei correndo para o Vagabundo, desamarrei-o, enquanto o vento o jogava com força contra as pedras. Estava num lugar aberto mas todo cercado de pedras pontudas. Não havia espaço para me afastar delas, abaixar o motor e dar partida. Perdi minutos importantes e, quando me afastei o suficiente para ligar o motorzinho e tentar sair, o hélice bateu numa pedra e, PAFT!, quebrou o pino. Meu Deus! Saí à deriva sem poder vencer o vento e as ondas a remo. Havia uma penúltima pedra ilhada, mais para fora, e consegui parar nela para evitar que o barco voasse com o vento cada vez mais forte. Precisei pular na água, até a cintura, para imobilizá-lo. Segurando o botinho com um braço, abri a tampa do motor, tirei a bolsinha plástica com ferramentas e puxei um dos pinos reserva. Havia três então. Não sei como, mas dentro d'água, abraçando o bote que pulava nas ondinhas, troquei o pino, guardei tudo às pressas, pulei para dentro e virei o motor o mais rápido que podia. Pegou na primeira, arrancou e PAFT, bateu em outra pedra e quebrou o pino outra vez. Essa não! Estava perdendo toda a graça aquela história. Consegui, remando como um doido, alcançar a última pedra, no fim da ilha. E se perdesse essa eu estaria definitivamente frito. Não havia nem onde pisar na água e, com os dedos doendo de frio, troquei o segundo pino. Agora era imperativo fazer o motor funcionar, mas, ao colocar o hélice, quebrou a cupilha. Havia uma de reserva e, enquanto a substituía com água pela cintura, agarrava o barco como podia. Tudo de novo e, ao sair pela terceira vez, é difícil acreditar, mas com as ondas não podia enxergar as pontas das pedras, avancei uns vinte metros, bati de novo e mais um pino se foi. Situação de pânico, agora. Em vez de tentar alcançar a pedra ilhada de onde partira, respirei fundo e não fiz nada. Só havia mais um pino na bolsa plástica. O que eu havia feito a mais e quase jogara fora no inverno. Eu estava numa espécie de coroa submersa de pedras e era preciso sair dali. Parti à deriva, afastando-me rápido da ilha. O *Paratii* não estava longe. Trezentos metros talvez. Mas contra o vento era impossível alcançá-lo. Com toda a calma que consegui, levantei o motor, desmontei tudo pela terceira vez, mantendo o último pino entre os dentes, os dedos doendo de frio, e com medo de perdê-lo.

Se o deixasse cair na água, adeus! O derradeiro pino. Remontei tudo, balançando como um cabrito nas ondas, e fechei a cupilha com o máximo cuidado para não quebrá-la. A ilha, mais e mais distante. Agora, mesmo se tivesse cem metros de cabo e âncora não havia mais como parar o botezinho. Puxei a cordinha do motor. Uma vez, na segunda pegou. Acelerei lentamente, não em direção à ilha, mas em torno dela. Aquilo era um ninho de pedras, exatamente o trecho onde não existem sondagens nas cartas náuticas. "Unsurveyed."

Com a mão direita no acelerador, fui indo contra o vento, a espuma das ondas batendo no rosto, imóvel, duro, não de frio, mas de tensão, até chegar e pôr as mãos na borda do *Paratii*. Dez minutos depois, me enxugando ao lado do aquecedor, na intensidade máxima, ouvi a voz do Eduardo e do Hermann chamando no rádio.

Desta vez passou perto, a "Véa da Foice", como canta o Elomar.

O nosso grande encontro ficou acertado para acontecer na velha baía Dorian e, assim que o tempo melhorasse, eu subiria até eles. Na mesma noite o sol retornou, mas as ilhas Ancorage e Lagoon foram cercadas por uma grossa camada de gelos, placas, *growlers*, icebergs, *bergybits*, o diabo, e eu passei dois dias com o barco preso. Maluco de tensão, fazendo nozinhos coloridos para passar o tempo e placidamente derivando com o gelo, sabia que a esta altura o *Rapa Nui* já estava na baía Dorian a minha procura.

O teste psicológico compensou e quando escapei do gelo havia sol e vinte e cinco nós de vento sul. Despedi-me em alta velocidade da baía Margarida, com todas as velas, motores — e, se pudesse, remos e pazinhas —, para ir mais rápido. Após uma viagem linda, sem problemas ou paradas, mas também sem pregar os olhos por quarenta e uma horas. Às três da manhã, dobrei a "esquina" da baía Dorian, a ponta Damoy, e que surpresa! Não havia nenhum *Rapa Nui* dormindo como eu esperava. Joguei apenas a âncora, meio decepcionado, e, sem passar cabos nas pedras nem nada, dormi.

Ao lado estava um veleiro sueco, muito famoso, o *Northern Light*, do casal Rolph e Deborah, cujo livro, um impressionante trabalho fotográfico que por sinal eu tinha a bordo, me inspirou a conhecer um certo e espetacular lugar do Ártico, o anel de Moffen Island. De manhã, conversei com os ocupantes do barco sueco logo antes que partissem. Pretendiam também passar o inverno em algum lugar ainda a ser escolhido. Mas nada da escuna azul. Às 18:00, hora local, no momento em que o *Northern Light* ia embora, o Hermann entrou no rádio. Como não haviam me encontrado no lugar combinado, seguiram para a baía Paraíso, mas já estavam voltando.

Às 22:00 horas, impaciente, subindo e descendo do mastro, com os binóculos o tempo todo vasculhando o horizonte, enfim avistei ao norte um casco azul com dois mastros.

"São eles! Puxa vida, são eles!"

Eu pulava de alegria no convés.

Que grande dia esse. E que festa que nós imaginamos para um dia tão especial! Um ano e vinte e três dias depois do último encontro em Jurumirim! Que bruta festa que ia ser!

Que terrível emoção. Faltavam apenas alguns minutos. Mas os desígnios da Providência organizam os acontecimentos de modo estranho à nossa compreensão. Não se podia dizer que o tempo estava bom. Céu cinzento, vinte a vinte e cinco nós de vento nordeste, a favor da baía, o que é péssimo para uma aproximação, pois o barco é forçado a entrar em velocidade. Eu estava com todos os instrumentos ligados e, olhando para o anemômetro, vi o ponteiro subindo. Vinte e cinco a trinta nós de vento. Trinta e cinco nas rajadas. De repente, quarenta a quarenta e cinco, cinquenta nas rajadas. "Com os céus, assim não é possível!" Eu ocupava metade da baía com os meus supercabos de um lado ao outro nas pedras. Em condições normais eles poderiam atracar ao meu lado, a contrabordo, mas, com esse vento, impossível; teriam de jogar âncora e não havia muito espaço para manobras num lugar tão apertado.

Eu acompanhava com os binóculos o barco azul se aproximando, encostando na geleira morta à direita, pronto para entrar. Estavam voando. Todos no convés, a manobra ia ser "radical", segundo o vocabulário do Eduardo.

Para complicar as coisas, havia grandes pedaços de gelo entrando junto ou atravessando a baía. O *Rapa Nui* entrou, fez uma curva à direita, na minha direção, e deitou de lado com o vento, passando a metros de onde eu estava. "Pronto?... Pronto! Vai!" O Hermann soltou a corrente da âncora! Alguém gritou: "Muito cedo!". Outro grito: "Abortaaaaar!". A âncora subiu, desceu de novo, o Hermann pulou no bote com cem metros de cabo e uma segunda âncora, partiu em velocidade até as pedras para passar o cabo. Assistia a tudo no convés, pendurado para fora do *Paratii*, gritando, por causa do vento.

"O nó, tem um nó na proa!"
"O quê?"
"Tem um nó. O cabo não vai passar! Atenção à ré!"
"Como é?"
"A ré! Vai bater! As defensas! Cadê as defensas? Isso mesmo! Não, passa o cabo maior! Emenda rápido! Anda

logo, o outro cabo! Não tá vendo? Aquele! Isso, segura aí, segura aí!..."

O vento soprando forte, assobiando no estaiamento, as adriças dos três mastros batendo de maneira escandalosa, neve passando horizontalmente, todos correndo, puxando...

"Agora! Solta! Solta mais! Rápido! A outra ponta!"

Meia hora a plenos pulmões. Todo mundo berrando.

Aos poucos os dois velhos amigos de alumínio, um azul, outro vermelho, foram se aproximando e encostando.

Passamos todos os cabos, pulando de um para outro, ofegantes de tantos berros. E, então, o Hermann parou na minha frente, ensopado, cheio de neve nos cabelos:

"Escuta aqui, seu veado. Boa tarde, né!?"

Trocamos um soco no peito, um longo abraço e então todo mundo começou a rir e pular. Que tumulto de chegada! Que festa! Eram 22:30 do dia 23 de janeiro.

Cartas, notícias, presentes, encomendas, viagens e viagens de um bordo a outro, conversas sem fim. Durante os primeiros dias não pude dormir, tamanha a alegria de rever a turma, saber de casa, ver um jornal com classificados e tudo, de apenas um mês atrás.

Não foram dias de tempo bom ou fácil, sempre nevando, volta e meia uma pancada de vento. Mas foram os melhores de toda a viagem. Dez dias de uma tensa e nervosa alegria. Como às vezes são os melhores dias da vida. O *Paratii* ganhou vida nova, descarregou boa parte do material de inverno que o *Rapa Nui* levaria de volta ao Brasil, ganhou fitas, discos e livros. Trocou cartas náuticas e informações com os que ficariam. No sábado, 2 de fevereiro, trocamos de posições, o meu barco ficou por fora dos cabos preso ao *Rapa Nui*, por um cabo apenas, pronto para sair.

Fizemos uma foto automática, os cinco, no convés. Uma outra, por garantia, e voltou aquele nó seco na garganta, quando chega a hora.

"Hermann, solta o cabo aí. Boa viagem, pessoal! Até o Brasil!"

"Boa viagem, Amyr", e o *Rapa Nui* tocou a sua sirene até eu sumir por trás da ilha Casabianca.

"Adeus todos os bichos da baía Dorian... até um dia!..."

Faltavam vinte e cinco mil milhas náuticas para ouvir outra vez essa mesma sirene.

12

O RAIO VERDE

Instalado no meu ninho de pilotagem, pensava nas pedrinhas. Quantas pedrinhas da minha vida eu daria para acalmar o vento?

Quando fiz o curso de motores marítimos Maxion Perkins, na Inglaterra, ganhei uma sacola simpática que andava solta por toda parte e nunca encontrou utilidade.

Horas antes de partir, ao ir em terra com o Eduardo para soltar os cabos do *Paratii*, encontrei um ninho abandonado onde comecei a contar pedrinhas. Mais de duas mil. A sacola estava, por acaso, no bote e não resisti. Juntei um punhado delas e levei-as para o barco na sacola.

Cada vez que eu abria a sacola o cheiro dos gentoos invadia a cabine. Um cheiro gozado que aprendi a gostar.

Não havia muito o que fazer além de vigiar a situação e eu usava volta e meia uma das pedrinhas como alma de um nó que se faz muito em barcos, o *monkey-fist* ou "nó de bolinha". Horas fazendo nós, cada um recheado com uma das pedrinhas, pendurando-os na roda do leme.

Andando contra o tempo, não tinha fome nem sono, apenas observava o espetáculo ao redor. Cinquenta nós de este-nordeste, a vela grande reduzida ao máximo, avançando a mais de dez nós de velocidade, às vezes um iceberg à distância, era preciso muita atenção. Um escândalo de vento e, no entanto, o *Paratii* se comportava com a classe de um albatroz. A espuma das ondas subia pela proa e pelo costado e, pulverizada pelo vento, transformava-se em gelo no convés. Não era o tempo nem o vento que eu desejei para me despedir da Antártica e entrar no Drake, mas, tenso e quieto, fazendo sem parar os nós, não podia esconder certo prazer. Com ventos muito mais fracos em lugares tropicais passei por apuros. As velas domesticadas e firmes após a última operação de redução, o piloto elétrico trabalhando com precisão e a proa, a cada onda, desprendendo borrifos impressionantes, o *Paratii* voltava a ser um barco de verdade, em sua mais exuberante forma.

O mais impressionante era que, embora "desmontado", o mar não era ameaçador. Ondas grandes, enormes, mas regulares, muita espuma, vento forte mas constante, sem rajadas. Se o tempo não piorasse não haveria por que me preocupar. Mas se o vento aumentasse, eu teria que sair de novo, abaixar a vela grande e subir o pequeno triângulo de mau tempo. Vestido com botas, luvas, trajes completos de manobra, cinto de segurança, eu controlava ao mesmo tempo o indicador de vento e as velas. Às 22:00 GMT, o ponteirinho do anemômetro passou dos cinquenta e cinco nós. "Vamos lá, não dá pra esperar. Reduzir mais." Uma camada de gelo formara-se sobre o mastro e o trilho no qual ficava presa a vela! Minha nossa! Nenhuma força no mundo faria descer a vela num mastro congelado. Agarrado nos primeiros degraus subi uns dois metros, apoiado na vela, e então descobri o quanto foi importante insistir na cor preta do mastro. Ao tocar no gelo, ele desprendeu-se como um picolé saindo da fôrma. Subi até a primeira cruzeta e em segundos não havia mais gelo sobre a superfície escura do mastro. Todas as outras ferragens, que não eram pretas, estavam cobertas. Desci a vela, amarrei-a como pude e, no lugar, subi o triângulo de mau tempo. Em menos de cinco minutos, estava de volta ao conforto da torre.

Dois dias durou a tempestade no Drake, mas no final do terceiro havia praticamente atravessado o estreito, e da latitude do cabo Horn — 56° Sul — em diante o *Paratii* passou a negociar ventos e calmarias na direção do cabo da Boa Esperança.

Nunca antes passei por uma situação de mar tão forte. O vento encostou em setenta nós no segundo dia. Ao mesmo tempo, nunca imaginei, sob tais condições, uma travessia tão civilizada. Apenas três vezes saí no convés e, depois de acertadas as velas e o rumo, não precisei mais mexer em nada.

Subindo por paredes quase verticais de água escura e descendo vertiginosamente do outro lado, o *Paratii* nem uma única vez perdeu o controle entre as ondas. O gelo que se formou não progrediu e aos poucos o frio na barriga que eu sentia a cada onda transformou-se em simples fome.

Difícil era imaginar que em tão pouco tempo eu morreria de saudades desses dois dias.

Ainda na altura do cabo Horn, mais a leste, uma surpreendente calmaria tomou conta do Atlântico Sul, completamente liso, parado, o mesmo local onde montanhas de mar e ventos furiosos fizeram tanta fama.

A subida de uns poucos graus de latitude fez surgir um mundo distinto. A temperatura da água aumentou, as noites tornaram-se escuras e definidas, e os albatrozes voltaram a me fazer companhia. Estávamos agora com um problema comum: total falta de ventos. Os insignificantes sopros que apareciam vinham de nordeste, exatamente no nariz, e mal conseguiam encher as velas. Meus vizinhos albatrozes, meio mal-humorados, iam levando a vida como patos pousados. Eu podia ligar o motor, mas, ainda a quatro mil milhas da África, não fazia muito sentido.

O *Rapa Nui* havia, então, deixado a Antártica rumo ao canal de Beagle e, no dia 11 de fevereiro, bem na hora de ir preparar uma panela de pipocas na cozinha, o Hermann apareceu na nossa frequência "Drake". Muito estranho, sem falar ou comentar nada, disse que estava "indo mais ou menos...", e que faltavam umas cem milhas até o Horn. Eu estava a leste das Falkland, muito distante deles, num barco imobilizado por falta de vento. Havia captado um boletim da Magallanes Radio e sabia que nas proximidades do cabo as coisas estavam pretas.

No dia seguinte eu soube o quanto. O *Rapa Nui* foi colhido por uma depressão profunda, vinda do Pacífico, mar alto e vento forte, e, numa onda mal projetada, capotou. Pela primeira vez na vida, a escuna azul enterrou os dois mastros n'água e capotou. Poucos estragos e muito nervosismo a bordo. Eles estavam agora a apenas oito milhas do cabo e logo entrariam nas águas abrigadas do canal de Beagle.

O radar no mastro encheu-se de água, a capota da entrada sumiu mas os mais atingidos pareciam o Fausto e o Villela. O ilustre professor Villela foi atingido por um vidro de pimenta que decolou da cozinha e explodiu em sua direção. Eu sei que não era engraçado, mas conhecendo o Villela, sua aversão por pimenta e seu jeito meio "pygoscélico" de andar e falar, era impossível não rir.

Ganhar graus em latitude para o norte é uma emoção especial para quem vem da Antártica. A cada dia mais calor, uma peça a menos de roupa, aos poucos os casacos pesados vão sendo encostados até o dia em que se pode sentir o sol diretamente sobre o peito nu. As mangueiras hidráulicas, plásticos e borrachas voltam a ficar flexíveis, o mel no café da manhã outra vez líquido, a pasta de dentes de novo saindo pelo buraco do tubo, o almoço servido na "varanda" — pequenas alegrias que são canonizadas a cada novo pontinho na carta náutica.

A minha rota, porém, passava bem ao norte da Geórgia do Sul e ao sul de Tristan da Cunha, no eixo dos *westerlies*, os famosos e constantes ventos fortes de oeste que circundam o planeta nessas latitudes. Mas algo de estranho estava acontecendo, pois desde o "sopro medonho" do Drake não vi sombra de ventos de oeste. Mar picado e pequeno, ventinhos módicos de direções variadas e calmarias sem fim. A cada dois dias, um quase parado. Muitas vezes andando menos em vinte e quatro horas do que se estivesse remando um botinho no meio do Atlântico.

Distraído, mexendo atrás do rádio principal à procura do compasso de ponta-seca, o mesmo que com os movimentos súbitos do barco sempre escorregava para aquele canto, percebi, pelo canto do olho, através de uma das janelas, um ponto branco no horizonte. Quando alcancei o compasso e levantei a cabeça para ver o que era, fiquei branco. Um navio, coreano, chinês, não sei, o *Ching I N.º 137*, vindo exatamente em cima de mim. Correria, chamei no VHF, canal 16, nada. Voei para a Florence, desliguei-a e tomei o leme. Um pesqueiro oriental enferrujado, com uns trinta sujeitos, balançando mais do que um caminhão de boias-frias, que se aproximou apenas para dar uma olhadinha... que vida dura e solitária levam esses sujeitos a bordo dos pesqueiros orientais. Meses a fio sem ver terra e sem um rumo definido, atrás dos cardumes. Com velas apoiadas no vento, ainda que mínimo, e apesar do mar desorganizado, o meu barco era infinitamente mais estável.

Rendimento terrível, vergonhoso: 49,2 milhas em vinte e quatro horas! Descobri que uma calmaria judia de um barco muitas vezes mais do que uma boa pancadaria. O vento não era mais suficiente para manter as velas. Balançando de um lado para outro, ouvindo as batidas das talas da vela grande ou das panelas na cozinha, foi muito difícil dormir ou manter o bom humor. Uma neblina fantasmagórica engoliu o *Paratii* e eu sofri um acidente físico da pior espécie. Não sei por que saí descalço no convés e... TUMBA! Chutei uma catraca e — delícia — uma unha levantou-se. Um arsenal de impropérios explodiu em todas as direções. E, como se fosse um aviso de que o céu tem ouvidos, no meio da tarde desse mesmo irritante e penúltimo dia de fevereiro a neblina desapareceu, o sol tomou conta da tarde e um espetacular crepúsculo se anunciou.

 Desde criança eu sempre carreguei um desejo meio difícil de realizar, sobretudo no Brasil que tem a costa voltada para o nascente. Sempre que era possível, eu perseguia o pôr do sol no mar. Atento, até a bola de luz amarelo-avermelhada ir se fundindo no horizonte, à procura de um fenômeno muito raro, que quase todos os povos navegadores do passado já mencionaram: o *green flash* ou *rayon vert*. Um raio, ou explosão de luz que acontece em condições muito especiais, no exato instante em que a última lasca do sol desaparece no horizonte.

 Com um rápido curativo na ponta do dedo, calcei com cuidado um tênis e corri para o enorme arco que havia atrás do *Paratii*, onde ficava a antena do radar e um pequeno posto que usava para observar o mar ou fazer astronomia encaixado no alto. Cumpria o mesmo ritual de sempre, meio sem esperança de um dia ver qualquer coisa — "dezenove horas, cinquenta e cinco minutos e trinta segundos... quarenta segundos... cinquenta... lá se vai o sol ... ade...". E escapou um grito súbito: "Eu vi! Eu vi! Eu vi! Miserável, eu vi!". Tanto tempo e, enfim, eu vi o raio verde. Uma fração de segundo que valeu toda a viagem.

Ponto a ponto, um longo arco foi sendo plotado na minha carta do Atlântico Sul, no rumo da África. A cada dia o espaço em branco à frente do arco, o caminho que faltava, ganhava uma nova posição. Que luta! Não havia problemas, ventanias ou mares monstruosos. Muito pior, uma calmaria atrás da outra, ventos fracos e indecisos de todas as direções possíveis, menos da que consta no *South Atlantic Pilot* como a predominante. Todos os dias eu cantava a musiquinha do Dorival Caymmi, apontando para oeste: "Vamos chamar o vento, eh Curimã...". Nada. Então, para não ouvir o som oco das velas batendo vazias, punha a tocar uma fita, engraçadíssima, de um grupo bretão, o Soldat Louis: músicas de marinheiros bretões, bordéis e suas dores de alto-mar.

Du rhum, des femmes et d'la bière nom de Dieu...
Un accordéon pour valser tant qu'on veut
Du rhum, des femmes, c'est ça qui rend heureux
Que l'diable nous emporte, on a rien trouvé d'mieux...

Mil e quinhentas milhas para o cabo. Quando, quando, Boa Esperança? Incrível o tempo. Tão distante no passado me pareciam os dias em que pulava do *Paratii* com esquis e saía andando sobre o mar ao redor, que custava a acreditar que um dia, ou melhor, quase um ano, minha vida tivesse sido assim. Meses que voavam como luz, um atrás do outro. E agora eu lutava com cada minuto de uma calmaria, uma eternidade cada hora de um dia, pensando apenas em chegar. Queria, desesperadamente, a todo custo, chegar e o tempo não se movia. Menos de uma dúzia de dias até a Cidade do Cabo, doze posições a plotar na carta que pesavam como um ano inteiro pela frente.

Não estava na verdade atravessando o Atlântico, mas dois Atlânticos, quatro estações de um ano, uma existência de quinze meses.

Fazia exatamente quinze meses e dois dias que não punha os olhos numa árvore, um arbusto, nada. Quinze meses desde a ponta da Joatinga em Paraty. Um supermercado, uma cidade, trânsito, um bosque, nada.

No dia 3 de março morreu Serge Gainsbourg, de quem eu tinha alguns escritos a bordo e muitas canções: "J'aimerais mourir vivant". O tempo, ao final, não para mesmo. Meses. Nos quinze meses que ficaram para trás muitas coisas aconteceram no mundo. O muro de Berlim derrubado. As árvores que plantei em São Paulo, antes de partir, num dia de tempestade quando resolvi mandar às favas os compromissos burocráticos e civis, cresceram e floriram. Mais uma guerra entre o mundo e um país eclodiu no Oriente Médio. Mesmo fisicamente afastado dessa parte do mundo onde as coisas acontecem e as árvores crescem, eu sabia que nem um só segundo desses quinze meses fora perdido.

Em 14 de março, com quarenta e um dias de mar, marquei mais um pontinho na carta. Cento e sessenta e quatro milhas para o cabo descoberto por Bartolomeu Dias. Menos de vinte e quatro horas até avistar terra outra vez. Já acostumado às calmarias de quase todo um Atlântico, tomei banho, fiz a barba, cortei o cabelo. Ganhei um aspecto decente e civilizado, e preparei o barco para uma aterragem provavelmente tranquila em Table Bay, na Cidade do Cabo. Um dos mais bonitos portos do mundo. Quase fiz planos. O que seria feito dos amigos que deixei naquela cidade; da vida, num país tão complexo, da Armelle?

A aproximação de terra é sempre um momento tenso, especialmente a de um cabo como Boa Esperança.

Navios do mundo todo em trânsito entre Atlântico e Índico passam rente ao cabo e um veleiro, quando atravessa esse corredor, necessita tantos cuidados quanto um carrinho de sorvetes para cruzar, em São Paulo, a avenida Paulista fora da faixa.

Entrou um ventinho. Que virou um ventão. Como um aviso para lembrar que uma travessia não termina em qualquer lugar, mas num ponto preciso, escolhido e alcançado. E, enquanto não se toca esse ponto, travessia nenhuma existe.

Última posição: setenta e sete milhas da costa. OPS! Navio. Vindo do Índico, direção duvidosa, fui vigiando com binóculos e radar. Melhor não arriscar. Dei um bordo e esperei ele passar. Só então percebi que o vento não era de brinquedo. Nem o mar. Ondas curtas e demolidoras. Outro navio. Nossa mãe! Vai começar! No canal 16 ouvi Cape Town Radio. Que delícia, vozes da África, alguém transmitindo de um lugar seguro e firme em terra, mas as notícias eram ruins. Previsão de ventos entre cabo Agulhas e Boa Esperança, força dez a onze, quarenta e cinco a cinquenta e cinco nós, com rajadas a sessenta. Desde o sul do Drake, séculos atrás, não me lembrava de tanto mar.

Nada de terra ainda. Teria errado a África? Às 16:02 GMT, vi uma sombra à proa; engoli em seco. Lá estava Boa Esperança, o cabo das Tormentas, em plena Tormenta. Escureceu e o mar entortou de vez. Um navio atrás do outro. Fui seguindo para o norte, com o forte sudeste, tentando descer as ondas num ângulo melhor. No escuro errei um ajuste na vela de proa, a banda de proteção ultravioleta rasgou e começou a fazer um barulho infernal, batendo ao vento. Antes que se enroscasse em lugar errado, enrolei a vela e tentei cortar a banda, mas estava muito alta.

Outro navio. Rápida correção de rumo no piloto. Puxa, mas que trânsito! Melhor ligar o motor. Virei a chave e, pela primeira vez em sua história, o motor não pegou. Insisti nervoso e nada. Outra vez. Claro! Entrou ar no sistema de alimentação de diesel. Preocupado com os navios passando como trens, o barulho da banda branca batendo sem parar, e com pressa de voltar ao convés, apanhei as ferramentas e, quando ia mexer na tubulação, a pesada caixa decolou, esmagou uma lata de óleo, esparramou no ar todas as ferramentas e misturou tudo no porão. Não. É demais. Uma linda sopa de óleo Mobil Fórmula Um com chaves e ferramentas. Tentei dar partida de novo e nada. Droga! É fácil perder a calma assim! Fui patinando, oleoso, para a cozinha, preparei um suco de maracujá num copo. Pus o copo na bancada para respirar fundo antes de soltar um palavrão e o copo imediatamente saiu voando, com suco e colher, contra a parede... O *Paratii* jogava com violência de um lado para o outro. Recomecei a operação do suco com um novo copo inquebrável, feito de Lexan. Voltei para o motor: refiz a drenagem do ar com a calma possível numa situação assim e dessa vez funcionou. As luzes das encostas! Pequenos pontos piscando, carros talvez... Entrei na baía, em frente à cidade, voando como o vento, a espuma arrancada das ondas, agora pequenas, subia pelo casco e batia nos olhos. Um rebocador que saía bem da entrada dos molhes, sem espaço para dois, me obrigou a fazer cento e oitenta graus e entrar de novo. Onde parar com um vento desses!? Atravessei Duncan Docks a motor, já sem velas, no meio de enormes navios atracados que gemiam e rangiam, empurrados pelo vento contra os pneus das docas, o *Paratii* adernando com as rajadas.

Uma hora da manhã! Navios-fantasmas por todo lado, ninguém para me tomar um cabo. Além do último navio, um pesqueiro coreano, estava a bacia de veleiros e a boia para visitantes. Meu Deus, como agarrar a pesada boia? Passar um cabo e ao mesmo tempo manobrar — sozinho — as vinte e cinco toneladas do *Paratii* sem destruir uma dúzia de veleirinhos de plástico atracados em volta?! Um barulho ensurdecedor de vento assobiando nas centenas de mastros, cabos e adriças, batendo freneticamente como milhares de sinos. Três tentativas mirabolantes, correndo pelo convés, com o barco acelerado, sem ninguém no leme, me pendurando na proa para passar o cabo. Na quarta consegui. Em vinte e quatro horas eu tinha trabalhado mais e feito uma desordem maior do que em toda a travessia, incluindo a passagem do Drake. Mas valeu a pena, naquela mesma madrugada, descer num porto de verdade, tirar botas e meias, andar até um jardim deserto e, descalço, sentir a grama sob os pés. Mais verde do que uma explosão de luz ao pôr do sol.

13

CABOS IMPASSÁVEIS

Sentado na calçada vendo o trânsito passar, quem diria, na beira do Equador! Meu último dia no hemisfério sul. Escolhi a longitude 23° Oeste para atravessar a linha em busca de uma passagem de vento para o norte. Há ali uma espécie de vazio entre os ventos dos dois Atlânticos, um vazio habitado por calmarias e súbitos temporais. Os alísios de sudeste, que me trouxeram desde a África do Sul numa avenida de vento segura e direta, interrompem-se logo após o Equador e, até encontrar os alísios do outro lado, ventos irmãos, de nordeste, navega-se nessa faixa de indecisão meteorológica, conhecida como *doldrums*.

Incrível, o trânsito. Esquadrilhas de peixes-voadores decolando às dezenas, uma atrás da outra, sempre contra o vento e formando longos arcos entre as ondas. Pequenos voadores, aos milhares, planando no ar em ondas sucessivas que eu contemplava da passagem lateral do *Paratii*, a calçada.

No mês de maio, a zona de convergência equatorial, os *doldrums*, desce um pouco para o sul e estaciona entre a latitude 5° Norte e o Equador. Ao cruzar a linha no dia 9, organizei uma minúscula comemoração: "Até a volta, hemisfério sul. Aqui vamos nós para o sol da meia-noite". Não é apenas uma linha imaginária que se atravessa. Céu carregado, nuvens pesadas, chuvas e trovoadas, pedaços de sol muito forte e mar de azeite — tem-se a real impressão de se cruzar uma fronteira física entre dois oceanos e seus regimes. Um calor sufocante. Tomei durante as trovoadas todos os banhos de chuva que podia; no convés, nu, com o sabonete na mão, toalha na varanda, às vezes esperando a próxima pancada para tirar a espuma! Água doce e fresca descendo pela retranca em cachoeiras, inventei, na base da vela, um coletor de água que logo se transformou em piscina suspensa. Pouco mais de um dia durou a travessia, com um breve empurrão do motor, e, a 3° Norte, encontrei o vento firme outra vez.

Para trás, mais que as três semanas de linda e ensolarada navegação, ficou o efeito de uma escala muito especial.

A vida em velocidade, sorrindo, a bordo de uma bicicleta, voando pelas ruas da Cidade do Cabo, as histórias trocadas com gente e barcos de toda parte, amigos distantes que não partiram. O carinho da Nina — minha mãe adotiva — que não subia no barco por causa da coluna, mas todas as manhãs deixava frutas frescas no convés.

Escala importante também. Encontrei o Adrian Artman, um mulato que me fez presente, sete anos antes, do seu único compasso de navegação, que usei em todas as viagens desde então, trabalhando e medindo distâncias em cartas de todas as espécies. Fornecedor oficial de cartas e publicações de navegação, o Adrian, em duas semanas, ligando para todos os pontos do planeta, conseguiu um arsenal de documentos que eu precisava com urgência e que não encontrei em lugar nenhum — uma das razões da minha parada na Cidade do Cabo — e as cartas do mar da Noruega e de Spitsbergen, que estão agora sobre a mesa.

Ao deixar a cidade, ainda não sabia qual seria a parada seguinte. Pensei em algum ponto, que não definira ainda, entre as Shetland, a Noruega e a Islândia antes de subir para o gelo. Mas sabia precisamente onde queria chegar.

Se quisesse alcançar o Ártico no início da estação, como pretendia, teria de ganhar tempo. Decidi não fazer, se tudo corresse bem, nenhuma escala antes desse ponto acima da latitude 60° Norte.

Lüderitz — espécie de Paraty plantada no deserto da Namíbia —, Santa Helena, Ascención e tantas escalas interessantes ou sonhadas ficaram para uma próxima vez.

No terrível dia de ir embora, quem me soltou as amarras foi o Pancho, um brasileiro que conheci logo no primeiro dia na Cidade do Cabo. Vizinho da mesma rua em São Paulo e em Paraty, também navegador, que, por estranha coincidência, não conheci antes. O Pancho acabara de atravessar o Atlântico a bordo do *Tao* e pensava em seguir para a Espanha em um veleiro que partiria em um mês. Mas quem acabou indo em seu lugar foi a Esmeralda, uma inglesa maluca que conhecemos no circo humano onde estávamos ancorados, o Royal Cape Yacht Club.

Curiosamente, eu acabava de ouvir no rádio, pela rede móvel-marítima de Durban, que tinham encontrado uma tal de Esmeralda, náufraga de um veleiro encalhado na costa dos Esqueletos, próximo a Lüderitz. A própria. Pancho, o malabarista mais famoso daquele circo, escapou de uma boa aventura.

Em pleno regime de alísios, mar regular, tempo bom, o *Paratii* agora furava vento e ondas para fazer caminho na direção norte. Velas tensas, barco bem adernado para esquerda, a vida contra o vento não era um suplício, como parece a princípio. O despertador trabalhando na sua eterna função de tocar a cada quarenta e cinco minutos. Dormia pouco e bem, e passava grande parte do tempo agora na calçada da "rua Direita", a que estava do lado do vento e era mais alta, para onde transferi o serviço de refeições.

    Comendo frango xadrez, com hashi, prato no colo e pés na borda, notei algo estranho no convés. Passei o dedo sobre a tinta clara: havia pó. Um pó avermelhado. Quase não acreditei. Quando olhei para cima não havia mais muitas coisas brancas. Velas, antena, deck, convés, tudo avermelhado no lado que recebe o vento — o direito! A novecentas milhas da costa do Senegal, no meio do Atlântico, eu estava coberto da poeira fina e errante do Saara! O deserto cruzando o oceano.

    Quantas coisas acontecem numa viagem sem escalas! Apenas mar desde que parti, só mar até chegar e, no entanto, de tudo havia ao redor. Paisagens novas e tão diferentes entre os mesmos elementos.

    Novos e maiores voadores, agora solitários, esquadras inteiras de "caravelas infláveis", pequenas águas-vivas de cor violeta velejando na mesma direção, um penico de plástico amarelo, pedaços de um contêiner e até um navio russo inteiro: a lista de seres e objetos passantes não tinha fim.

    Quinhentas milhas a oeste do cabo Verde ultrapassei, em latitude, a declinação do sol para aquele dia — vinte graus — e, para observá-lo agora, empunharia o sextante ao sul, não mais ao norte, uma notável diferença na hora da passagem meridiana. A paisagem do céu totalmente nova, dominada pela Ursa Maior e tendo no centro uma estrela incrível, a polar. "Que coisa mais simples o norte por estas bandas", pensei, olhando a pequena estrela polar. A noite toda ali, numa altura aproximada à latitude, fixa no céu enquanto todas as outras vão se movendo ao redor. Quanto mais ao norte, mais alta, exatamente no rumo que eu seguia.

Fica fácil entender por que, no passado, a navegação no hemisfério norte era tão mais segura. Infelizmente, não há, no hemisfério sul, nenhuma estrela visível no zênite polar que possa servir como referência permanente de rumo e latitude.

Apontei a proa para o norte verdadeiro até alcançar a altura dos Açores. Dezesseis dias num mesmo bordo o *Paratii* permaneceu, e eu fiquei tão acostumado a viver inclinado, à esquerda, que, no dia da primeira troca de bordo, ocorreu um cataclismo interno.

Velejando adernado, me habituei a andar sempre à esquerda, apoiado contra as paredes. A bagunça e as coisas soltas foram tomando, aos poucos, o mesmo lado. Quando comecei a manobra de bordo e o meu mundo se inclinou para o lado direito, o marcador de prata que a Armelle me fez, o compasso de ponta-seca, fitas, ferramentas, livros, pratos, instrumentos de todo tipo saíram dos cantos e atravessaram voando o barco. Do lado de fora, cuidando de velas e cabos, não pude fazer nada além de ouvir as explosões de objetos dentro do barco.

A partir dos Açores começou uma correção de rumo para nordeste. O ponto escolhido como parada, um lugar do qual muito pouco ouvira falar — Tórshavn —, capital das ilhas Faeroe, estava agora a menos de duas mil milhas.

Saindo da autoestrada de vento dos alísios, o trabalho nas velas aumentou e, com frequência, durante um bordo ou redução de vela, tive de me defender das "serpentes" que andavam inquietas no fundo do cockpit.

Direções variáveis e, de quando em quando, um vento forte, até que ultrapassei o centro de alta pressão do Atlântico Norte e firmaram-se os ventos de oeste. O entendimento desse mecanismo de pressão e ventos foi talvez o mais interessante obstáculo à navegação para oeste no século XV. Um obstáculo real cuja superação foi na verdade o grande mérito da primeira viagem de Colombo, em 1492. Estudando as *pilot charts* e as instruções náuticas para o Atlântico Norte, hoje elaboradas com auxílio de computadores e satélites, fica claro que o desembarque de Colombo na América é um fato de pouca importância diante da sua verdadeira descoberta: o caminho de ida e retorno. Intuitivamente talvez, o genovês descobriu a rota ideal, então a única possível para se alcançar as Antilhas e retornar à península Ibérica. O contorno anticiclônico em volta dos Açores.

Uma rota de navegação absurdamente fácil, em nada comparável ao contorno da África rumo às Índias ou à própria navegação no Mediterrâneo. Mas que foi descoberta apenas por quem teve a ousadia de percorrê-la.

Outros obstáculos — talvez piores — à navegação de então não foram nem ao menos reais, como o tão cantado cabo Bojador, no Saara Ocidental:

> *Quem quere passar além do Bojador*
> *Tem que passar além da dor.*

escreveu Pessoa. Quinze expedições entre 1424 e 1434 partiram para dobrar o temido cabo e todas retornaram sem sucesso. Tornou-se uma barreira imaginária o que na verdade é uma banal proeminência com alguns baixios. Um símbolo do medo, da falta de ousadia numa época em que a navegação estava presa à costa. O próprio Gil Eanes que o dobrou em 1434, um ano antes, em fracassada tentativa, o havia descrito como "efetivamente impassável": "As correntes são tamanhas que navio que lá passe jamais, nunca, poderá retornar...", consta na *Crônica dos feitos de Guiné*, de Zurara.

Um símbolo também da ousadia de um infante — dom Henrique —, que, não crendo em "cabos impassáveis", demoliu o medo e insistiu até que o dobrassem.

O fato é que há no mar muitos Bojadores e a maioria dos obstáculos às grandes viagens são menores do que o seu verdadeiro tamanho.

Entrou enfim o vento de oeste, o que vem da América por cima dos Açores, e eu andava lendo por todos os lados sobre esses assuntos.

O vento que não se respeita é sempre um obstáculo. Lembrei-me dos setenta nós no Drake que com tanta rapidez me afastaram da Antártica. Dos gelos encalhados na baía Margarida que por dois dias protegeram o *Paratii* do mau tempo. Foram Bojadores até que entrei neles. Outros Bojadores enfrentamos construindo o barco, como o frio — "ele vai destruir tudo, congelar a sua vida", descreveram cronistas menos notáveis. E, então, descobri que o frio, em vez de obstáculo, era um aliado, sinônimo de conforto, bem-estar, segurança. O seco frio antártico dos dias em que andava mariscando sem camisa na ilha Casabianca.

Agora fazia um certo frio, frio chato e úmido de 15°C. Pensando nas correntes e prestes a entrar no braço que deriva da Corrente do Golfo para o norte, lembrei-me de um vidro de Nescafé que acabara de ficar vazio. Surgiu então uma ideia. "Por que não, falando em correntes?" Coloquei no vidro uma nota cheia de zeros — cem mil cruzeiros — que não valia muita coisa, um dos nós de bola de cor rosa-choque, com uma das pedrinhas dos pinguins na alma, e um cartão QSL com meu endereço e um pedido para que quem o encontrasse, remetesse ao Brasil. Anotei posição e data: "Lat. 49°49'N, Long. 23°49'W, June, 4th, 1991, S/Y *Paratii*, sailing from Cape Town to Faeroe Islands". Tampei bem e joguei na água.

O ideal teria sido uma garrafa plástica, que não se quebraria se aterrasse em pedras, ou melhor, dúzias de garrafas. Mas paciência. Eu sabia que o índice de recuperação de garrafas de deriva era da ordem de cinco por cento e não estava nem um pouco inclinado a esvaziar vinte vidros de qualquer coisa a bordo. Foi o único vidro que joguei em toda a viagem, e nunca imaginaria que sete meses mais tarde receberia pelo correio uma carta com a foto de um menino norueguês de dez anos, segurando, feliz da vida, a bolinha rosa-choque com uma pedrinha da Antártica e a estranha nota de cem mil zeros que ele encontrou.

Exatamente no verso da *pilot chart* para o mês de junho, que eu estava usando, havia uma história interessante sobre deriva no Atlântico Norte. Em 13 de março de 1888, o três mastros escuna, de bandeira americana, *W. L. White*, foi abandonado próximo a Nova York, na baía Delaware, fazendo água, e sem ninguém a bordo. Em dez meses de deriva, avistado e plotado por quarenta e cinco navios, percorreu cinco mil milhas cruzando o Atlântico até encalhar decrépito nas ilhas Hébridas, ao norte da Escócia. Mas não afundou.

Alguns navios — e ideias — às vezes são tão fortes que não necessitam de tripulação para cruzar um oceano. O *Paratii*, se bem que não à deriva, contava dezessete mil milhas navegadas desde o Brasil e em todo este tempo eu não permaneci, no total, mais do que sete horas com as mãos no leme. Todo o tempo restante a condução foi alternada entre a Florence ou o piloto elétrico, e nenhum dos dois jamais apresentou problemas insolúveis.

Por três dias sonhei com a deriva do *W. L. White*, que devia, nesta região, ter achado outros ventos. Uma depressão forte passando entre a minha posição e as Hébridas despejou, sobre um mar totalmente desordenado, ventos entre trinta e cinco e quarenta nós bem no nariz. Ziguezagueando contra o tempo, passei ao norte do solitário rochedo oceânico de Rockall, quando, por fim, o Atlântico se acalmou.

Dois dias para chegar, que curiosidade incontrolável! Não tinha a menor ideia do aspecto das Faeroe, apenas sabia que entre as ilhas é preciso muito cuidado com o horário das marés. Há correntes de até doze nós, mudando a cada hora. Um bando de imensos golfinhos escuros surgiu à proa. Não se afastaram e, quando me aproximei, vi que eram *pilot whales*, as pequenas e negras baleias-piloto. Baleias, dentadas, às centenas, por todos os lados, como se indicassem a chegada a um novo país. Sob um tempo misteriosamente calmo e nublado, completei cinquenta e oito dias de horizonte pleno, desde a Cidade do Cabo, e pela primeira vez, dormindo pesado, perdi um dos avisos de quarenta e cinco minutos. Acordei com uma chuva fina batendo nas janelas e um ruído estranho.

Uma e nove da madrugada, já clareando, alguém chamava no canal 16 numa língua totalmente incompreensível. Levei um susto. Ao lado do *Paratii*, um pesqueiro de linhas nórdicas me seguia. Bem à frente estava a ilha Sydero... Agradeci pelo aviso.

Às 8:50, depois de contornar impressionantes penhascos e passar por canais estreitos e altos, entrei — com o radar a todo vapor, furando uma neblina grossa como algodão — no porto de Tórshavn.

Uma verdadeira cidade de bonecas apareceu sob a neblina, com casas coloridas e antigas sobre as pedras, algumas com telhados de grama verde fazendo ondas como trigais ao vento. Quando o casco tocou os pneus do cais, tive vontade de dar um grito animal de alegria, mas um simpático senhor surgiu na chuva, ensopado, para me tomar os cabos e ajudar a prender o *Paratii*. Atracado bem no centro da cidade. Ao pisar no cais de concreto, me senti pisando num sonho de verdade.

Na pequena península de pedra, no meio do porto, a noventa metros de onde estava, vikings vindos da Noruega estabeleceram, no ano 825 de nossa era, o Parlamento local, o Logting, o mais antigo Parlamento em funcionamento no mundo. Arquipélago surgido num conto de fadas, em meio à neblina, nunca imaginei nada parecido.

Antes de conseguir tirar a minha bicicleta do barco, já havia feito todos os papéis da imigração, em noventa segundos mais ou menos, sendo que os próprios oficiais da policia saíram carregando meus sacos de lixo de dois meses; já recebera quatro convites para visitar casas da cidade, um para jogar futebol num campo oficial de grama artificial e outro para nadar na piscina pública aquecida. Não pensei duas vezes para aceitar este último.

Descendentes de vikings que partiram para a Islândia nos séculos VIII e IX, os faeroenses falam a língua original de seus antepassados e têm um humor e simpatia que não há entre outros escandinavos. Apenas quarenta e sete mil pessoas, esparramadas em quase dezoito ilhas e setenta cidadezinhas encravadas em todo tipo de fiordes que formam uma nação independente, agregada ao reino da Dinamarca. As vinte e cinco maiores têm portos para grandes navios. Todos vivem do mar: pesca, fazendas de salmão ou construção de navios. E, no trabalho do mar, conseguiram um dos mais elevados níveis de vida do mundo e comandam a mais moderna frota de pesca industrial em atividade hoje em dia.

Gente simples e aberta, que trabalha duro, tem orgulho de suas pequenas e ricas ilhas e prazer em receber os raros visitantes. Haveria uma verdadeira invasão de visitantes na ilha. Mais três no total. Após um ano e meio de

UM DIA É PRECISO PARAR DE SONHAR E, DE ALGUM MODO, PARTIR

Theobaldo,
o inquilino que só falou
no último dia.

Não um barco prisioneiro, ▶
mas passageiro do tempo.

Não mais um barco,
mas uma estação vermelha
plantada, no mar sólido,
até o verão seguinte.
Os cabos e a corrente
desapareceram no gelo,
enquanto vizinhos, como
as *chionis*, se aproximaram.

U m casal de *Pygoscelis papua* reveza-se continuamente, desde a procura de pedrinhas para o ninho até a alimentação dos filhotes que saem dos ovos em novembro/dezembro.

Os principais predadores vêm do mar, focas-leopardo, ou do céu, as *skuas*. Em terra, nem mesmo o tamanho de um elefante-marinho é suficiente para os gentoos abandonarem seus ninhos.

Existência ruidosa e turbulenta, onde problemas entre vizinhos são interrompidos por visitantes surpreendentes.

Um ano após a partida, de Jurumirim, ▶ o sonhado reencontro na Antártica. Dez dias a contrabordo da escuna azul. Horas depois o *Paratii* partia rumo ao Ártico.

A Bárbara, uma foca-de-weddell, companheira fiel durante o inverno deu à luz o Horácio e só partiu quando o gelo se foi.

A baía Dorian, livre, iluminada pelo longo sol de verão.

Ou imóvel, refletindo o ▶ "sol de inverno", a lua cheia quase tão clara como o dia.

Moffen Island,
um anel de pedras preciosas
ao norte do Spitsbergen.
Dezenove mil milhas navegadas
para uma escala de três horas.

Diante das três coroas de Kungsfjord, o encontro com o gelo ártico. Daqui partiu Amundsen para sua primeira travessia do Ártico a bordo do dirigível *Norge*.

Após refletir sua imagem nos dois extremos do planeta e percorrer 27 mil milhas em 22 meses, o *Paratii* retorna ao exato ponto de partida: Jurumirim.

saudade, a Cabeluda, o Álvaro e a Cris viriam para uma semana de visita ao *Paratii*, numa verdadeira migração em domínios vikings.

Informações preciosas para quem vive com barcos eu ganhei nessas semanas. Acostumados a pescar em águas do mundo todo, mas sobretudo do Ártico, os capitães e pescadores que fui conhecendo carregaram o meu barco com histórias, livros e planos de barcos vikings. Fui convidado a visitar uma fábrica-fazenda de salmão e entendi, então, por que é tão rica e, após o trabalho, tão alegre essa pequena nação. Quase perdi os dedos de frio e cansaço puxando salmão vivo nos criadouros. Meninas de olhos azuis operando máquinas hidráulicas, dirigindo os tratores; homens, muitos de idade avançada, nas boias, na água, mais de doze horas seguidas. Jovens e velhos trabalhando pesado. Não há empregados, são todos, de certa forma, sócios de uma riqueza comum, o mar.

Andando nos navios pesqueiros, quase sempre equipados com inacreditáveis estações meteorológicas e laboratórios de pesca (onde se estudam hábitos reprodutivos e densidade de espécies), fui acompanhando as informações sobre o gelo entre a Islândia, Groenlândia e Spitsbergen. Estava cedo ainda, havia muito gelo ao norte. Ganhei, no total, uma bem-vinda estadia de dezoito dias nesse país de vikings, e tantas peças de salmão, presente de pescadores anônimos que as deixavam de madrugada no convés, que quase fiquei cor-de-rosa.

Antes de partir com minha irmã, a Cris comprou e despachou via *Paratii* um dos aquecedores que todos os pequenos barcos daqui usam, para instalar em seu barco, o valente e vivido *Plâncton*, em Porto Alegre. Mesmo no verão das Faeroe, às vezes quente, eu mantinha o meu sempre aceso, para deixar o barco seco e confortável. A chaleira sempre estava sobre a chapa e um café para visitantes tornou-se um problema de segundos apenas.

No último dia de junho o *Paratii* despediu-se dos barcos e amigos que fez, e da sua vaga num porto onde seria fácil criar musgo nas amarras. Às 9:30, guardei a bicicleta, preparei as velas e o motor logo nos levou para mar aberto. Os gigantescos penhascos, alguns com mil metros de altura, foram pouco a pouco se afastando.

Abri a carta inglesa 4010, que usaria até alcançar Spitsbergen, o diário, e comecei a rabiscar, distraído, cálculos de distância.

De repente, um barulho estranho de motor! Pus a cabeça para fora, surpreso. Já estava longe das ilhas. Pensei que fosse um assalto viking: dois sujeitos num minúsculo bote de borracha, em velocidade, completamente bêbados, diminuíram ao meu lado. Um deles, tentando ficar em pé e segurando uma garrafa, gritou:

"Ei, ôô, brasileiro, quer uma cerveja?"

"Obrigado, obrigado", respondi sem pensar direito.

"Não sei o que você procura lá em cima, mas faça uma linda viagem! Aiêêê...!"

E voltaram em zigue-zague rumo às ilhas.

Devia ter aceito a cerveja. Gente muito bacana esses faeroenses...

14

JUNTANDO AS PEDRAS

Dezesseis mil milhas e o Atlântico de ponta a ponta, desde o último pedaço de gelo! O *Paratii* estava totalmente cercado de gelos pequenos numa água tão espelhada que, pela superfície plana entre os blocos, percebi um segundo barco, invertido, igual ao meu. Um verdadeiro espelho, com rendas de gelo, que refletia as montanhas em volta do Kongsfjord, e a linda península, Blomstrandhalvoya. Uma semana antes, eu chegara a Spitsbergen, a maior ilha do grupo Svalbard, após uma travessia tranquila e sem incidentes. O ponto de entrada foi Longyearbyen, no Isfjorden, um lugar não muito interessante, mas onde consegui as informações e a carta de navegação norueguesa 521, a única que me faltava para chegar a Moffen Island.

Os pedaços de gelo que brilhavam em volta eram restos de um fenômeno curioso que acabava de acontecer. A enorme geleira que partia da Terra Haakon desabou em pedaços, abrindo um canal, e a península onde eu estava ancorado se transformou numa ilha. Que espetáculo! Não sei por que, achei que poderia passar com o *Paratii* pelo canal e sair pelo outro lado, inaugurando a navegação num pedaço de mar que não existia antes e não constava em carta alguma.

Ideias tortas que surgem quando se anda hipnotizado pela beleza de um lugar...

Pela primeira vez o *Paratii* encalhou de mau jeito. E num lugar terrível. Paredões de gelo dos dois lados desprendendo fatias maiores que uma casa, pedras pontiagudas em volta e uma lama grossa que subiu com o arrasto da quilha no fundo. A maré estava alta, grande erro meu, e precisava, o mais rápido possível, "abrir" um caminho para sair da armadilha, forçando passagem com ajuda do motor, batendo em pedras invisíveis. Os golpes eram tão fortes que até a famosa sacola azul voou, esparramando pelo chão da oficina as pedrinhas dos gentoos que carreguei por tanto tempo.

Minutos intermináveis até descobrir a saída do labirinto de pontos submersos e trazer o *Paratii* de volta para águas fundas. A salvo, guardei as minhas pedrinhas na sacola azul e o *Paratii* deixou as dele em paz.

No outro lado da baía fui visitar Ny Ålesund, uma minúscula vila mineira, onde está uma estação do Norskpolarinstitut. Um pouco além das casinhas, há um monumento e um campo onde me sentei. Em maio de 1926, dali partiu Amundsen, com Lincoln Ellsworth e Umberto Nobile, para a sua histórica travessia da calota polar ártica num dirigível, o *Norge*, que pousou dois dias depois em Teller, no Alasca, após sobrevoar o polo norte. Logo antes da decolagem do *Norge*, apareceram, neste mesmo campo, o comandante Richard E. Byrd e Floyd Bennet, com um aeroplano e o propósito de fazer o primeiro voo — ida e retorno — sobre o polo. Em vez da discussão sobre uma primazia histórica — o cavalheirismo. Amundsen insistiu para que Byrd decolasse primeiro e aguardou o seu retorno, com o polo alcançado, para partir no *Norge*. O sucesso da primeira travessia do Ártico resultou num trágico incidente.

JUNTANDO AS PEDRAS

Amundsen e Nobile desentenderam-se após o voo. Dois anos mais tarde, em 1928, Nobile partiu em outro dirigível, o *Itália*, para refazer a travessia, sem Amundsen. O *Itália* acidentou-se e temporariamente desapareceu. Enquanto organizavam-se expedições de busca, Amundsen, numa atitude de reconciliação, ou talvez de desafio, partiu em seu socorro num avião francês Latham 47. Nobile acabou salvo por outra expedição, mas o Latham 47 nunca mais foi visto.

Durante essa primeira semana em Spitsbergen, encontrei três barcos grandes que tentavam passar ao norte da ilha mas desistiram depois de encontrar muito gelo. "Brasileiro, você não passará", diziam, "este ano não passará." "Bom", eu pensava, "veremos." Se não fosse possível alcançar a pequena Moffen, não morreria de tristeza. Acontece que nem todos os gelos são "impassáveis", e o único meio de saber era tentar. O verdadeiro naufrágio da longa viagem que fiz para chegar até ali seria não tentar.

Encontrei nesta semana outro barco que acabava de chegar à Noruega, *Sam*, um lindo veleiro francês, também em alumínio, mas fino, com três homens e uma mulher a bordo, todos da Bretanha. Decidimos tentar passar para o norte em dois barcos.

Na manhã do dia 20 de julho, o *Paratii* entrou afinal no *pack*, a formidável extensão de gelo flutuante, sem fim, da Groenlândia ao estreito de Bering, da Sibéria ao Alasca, num só mar congelado. Uma estranha impressão de liberdade condicional. Canais se abrindo e fechando entre imensas placas de gelo que podem prender um barco por algumas horas — ou até o verão seguinte. Sempre um novo canal à frente, fui seguindo para o norte enquanto era possível, às vezes fazendo um pequeno estrago nas pontas de gelo que não podia evitar, ou, quando errava uma entrada, batendo com a proa, subindo um pouco e voltando para trás. Com um casco muito mais vulnerável, o *Sam* vinha seguindo atrás, a certa distância. Navegação nervosa. Emocionante. Surpreendente.

    Um exercício permanente de tomada de decisões. "Para que lado ir?" Dúzias e dúzias de becos sem saída, de onde era preciso retornar, ou canais estreitos demais onde deveria aguardar. Moffen estava a leste, mas só havia passagem para o norte. A visibilidade caiu para poucos metros e, então, não foi mais possível escolher canais largos ou livres. Fui deixando manchas vermelhas nos gelos em que tocava.

    Às 20:39 GMT, o GPS marcou a passagem da latitude 80° Norte, na longitude 11°28'47" Leste. À meia-noite parei o *Paratii*. Não havia mais passagem. Não podia ver o *Sam* na neblina, mas pelo radar sabia que eles estavam a menos de uma milha.

    Subi no mastro pela vigésima vez. Não se via nenhuma passagem. Estava há mais de vinte horas sem pregar os olhos, sem desgrudar um segundo do rumo. Puxa vida! Parar agora... tão perto do fim... Lembrei-me do Rolph e da Deborah, do *Northern Light*, que encontrei no segundo verão antes de deixar a Antártica: eles já haviam estado aqui e, a poucas milhas de Moffen, foram forçados a desistir e voltar com uma grande frustração.

    Corri para dentro a fim de buscar na cozinha uns doces, frutas secas, qualquer coisa para comer em cima. Num lugar como esse é possível ficar por algumas horas ou meses, nunca se sabe. Voltei otimista com um pacote de "ração de emergência para um dia" na mão, mastigando uma barra de chocolate. Havia uma bola no céu. "Não é possível!" O sol aos poucos foi se definindo, a neblina tornou-se transparente e pouco a pouco subiu. E subi eu no mastro mais uma vez, com binóculos. Avistei um canal razoavelmente largo ao norte. Voltar rápido e achar uma saída para o norte. A distância, um grupo de morsas, o primeiro que avistava, repousava à beira do canal.

Faltavam menos de quinze milhas mas era difícil saber até onde poderia continuar. Às 3:10 GMT, 5:10 hora local, sabia que estava próximo. Mas não se via nada além de um oceano de placas de gelo e, ao sul, na ilha de Spitsbergen, a Terra Haakon VII. Ainda uma vez, subi no mastro, primeira cruzeta, depois na segunda, e entre as placas imensas vi uma falha. Pus os binóculos que viviam pendurados às costas. Lá estava: a ilha Moffen! Tão próximo, um sonho tão distante...

Às 3:40 GMT, soltei a âncora em três metros de profundidade. Quinze minutos depois o *Sam* ancorou um pouco ao norte. Que felicidade! Que brutal felicidade!

Desvirei o Vagabundo, deitado no convés, baixei-o até a água e, remando com o meu último remo de Paraty que sobreviveu intacto, fui até uma placa de gelo encalhado onde joguei a pequena âncora. A ilha Moffen: apenas um fino anel de pequenas pedras com no máximo dois metros de altura, no formato de uma pera triangular que encerra, dentro, uma lagoa. Duas milhas de comprimento talvez, é a única reserva de procriação de morsas de Spitsbergen. Encontrei restos de deriva de toda espécie. Madeiras que chegam à deriva da Sibéria, plásticos de toda parte, cordas de polipropileno, boias de redes. Entre o *Paratii* e a ilha, gelos chegando e, ao fundo, um dos famosos bancos de neblina. Era arriscado permanecer ali. Os canais iam mudando de posição, e se a neblina nos pegasse seria difícil retornar.

A história de Moffen durou, no total, três horas. Cinco meses navegando da latitude 68° Sul até 80° Norte, milhares de milhas e apenas três horas. Três eternas e maravilhosas horas. Antes de embarcar, juntei umas pequenas pedras que encontrei no caminho, todas com o formato da ilha, e às 8:40 subi a âncora para tentar retornar.

Foi então que o *Paratii* voltou a sua proa definitivamente para o sul. Para casa.

Não porque a ilha fosse tão longe de casa, tão alta em latitude, ou de acesso difícil — poderia ter sido qualquer ilhota na baía da ilha Grande —, mas porque durante tanto tempo foi o lugar preciso onde sonhei chegar, Moffen transformou-se no cume de uma longa e linda escalada.

Tudo o que restou dela foi apenas uma dúzia de pequenas pedras que guardei na sacola azul. As pedras mais preciosas que alguém, um dia, já possuiu.

* * *

Pedras do Norte e do Sul se misturaram na sacola e a única coisa que me faria descansar agora era voltar. Sair do *pack* não foi simples mas, ao final desse dia, 21 de julho, estávamos outra vez em águas livres.

O *Sam* retornaria para Kongsfjord e eu decidi seguir para o Brasil. Tinha um longo caminho até Jurumirim e era apenas para lá que queria ir.

Não gosto de despedidas de espécie alguma. A despedida do *Sam* foi maravilhosa, porque no fundo não foi uma despedida.

Navegávamos, lado a lado, em frente à paradisíaca entrada de Magdalenafjord, sob sol forte e mar muito calmo. Eles sabiam que eu não entraria no fiorde. Estavam todos sentados na borda, ninguém no leme, em rumo igual, olhando o *Paratii* e sorrindo. Poucas horas antes, haviam me presenteado com dois pães quentes, um *paté maison* e um bocal de *rillettes de canard*, do Fauchon, "26, Place de la Madeleine". "Você não vai ter tempo para cozinhar em alto-mar. Faça uma viagem segura até o Brasil."

Eu poderia gritar, ainda nos ouvíamos, também estava sentado, na calçada esquerda, rindo, e olhando em silêncio para eles.

Um grosso banco de neblina vinha à frente, e quando percebemos não houve tempo nem para um aceno de adeus. Fomos todos engolidos pela neblina, sorrindo, cada um em seu rumo.

* * *

Um bem-estar profundo e sereno tomou conta da vida a bordo. O que antes me assustava ou preocupava agora fazia pensar. Pelas janelas de onde via apenas neblina e as velas cheias, fiz passar todas as imagens que desejei ver. E as toquei. Não há mais verdadeira e pura forma de sentir lugares do que tocá-los com a quilha de um barco. Ou com os dedos. A mais simples e universal maneira de expressar carinho. O toque.

Trazia o *Paratii* na ponta dos dedos e o sentia de maneira diferente também. No início, barulhos, choques, rangidos, o zunido do vento ou uma vela batendo causavam preocupação, nervosismo. Errando e aprendendo, batendo em gelos, ondas e pedras, fui descobrindo a origem dos sons e os limites da minha máquina vermelha. Se uma onda me pegasse de surpresa no convés, mesmo nos trópicos, antes eu gritaria e protestaria contra os elementos. Agora, com frio ou neve, se fosse surpreendido e ensopado, apenas tirava o cabelo pingando dos olhos com as costas das mãos e continuava assobiando. Talvez um certo embrutecimento, uma indiferença à dor e ao desconforto que o mar incute, como dizem pescadores do mar do Norte.

Não sei, talvez seja mais do que isso. Uma sensibilidade maior ao que de fato importa.

Fazia um sanduíche na cozinha com o pão caseiro do *Sam*, quando senti, nas tripas, um choque violento. Estava mastigando um pedaço de pão. Parei. "Bom, mais novidades. O que será agora?" Houve um pequeno silêncio. "Se fosse um navio russo em colisão já saberíamos." Subi com o sanduíche na mão. Gelo talvez. Mas não havia nada. Vi apenas uns riscos na água à frente e, antes que pudesse adivinhar do que se tratava, uma colossal série de choques sonoros. Madeiras na água! Toras! Acabava de atropelar duas das *drift woods*, toras de madeira que descem os rios da Sibéria, entram no gelo Ártico, derivando às vezes por séculos até desovarem próximo à costa da Groenlândia. Foi uma das coisas que mais me impressionaram em Spitsbergen: a quantidade de troncos empilhados aos milhares em algumas baías ou encostas voltadas para mar aberto. Em qualquer lugar é possível se fazer um foguinho com lascas de madeira num país onde não existem árvores de espécie alguma. Tal como na Islândia, onde a coleta de madeiras de deriva que vêm sozinhas dar na costa sempre foi uma importante atividade nas vilas do Norte.

Não são apenas árvores, mas detritos flutuantes que percorrem esse lento caminho pelo *pack* e vão parar em lugares muito distantes de sua origem. Um deles foi um pedaço do *Jeannette*, navio americano naufragado no gelo em 1881, próximo a Severnaya Zemlia, no Norte da Sibéria. Anos depois, os destroços do *Jeannette* foram encontrados na costa sul da Groenlândia. Tornaram-se a primeira evidência histórica da teoria de deriva transpolar, que inspirou Fridtjof Nansen a empreender sua tentativa de alcançar o polo norte com o *Fram*, derivando no gelo a partir da Sibéria, por três anos.

JUNTANDO AS PEDRAS

Não houve dano, mas, se o *Paratii* fosse em plástico ou cimento, eu teria uma interessante explicação para um naufrágio: "Atropelei umas árvores da Sibéria, próximo à Islândia".

Voltar. Voltar para casa era tudo o que eu desejava agora e descobri como é difícil interromper um caminho de volta, mesmo que seja para descanso. Nada no mundo me faria descansar antes de tocar o Brasil outra vez.

A única escala durante a descida de Moffen foi na costa leste da Islândia. Em Seydisfjordur, onde deveria aguardar uma encomenda que viria da Suécia. Um leme de vento, igual ao meu, como reserva, para uma futura viagem.

Escala onde sofri um problema que não conheci em dois anos de viagem.

Mergulhei outra vez numa parede de neblina e, sem uma carta de detalhe, aproximei-me da costa da Islândia às cegas. Sonda, radar, vento forte, a dez milhas da costa ainda não vira terra. A cinco milhas, nada ainda. Pensei em aguardar em alto-mar até subir a neblina, mas poderia ser pior. Às duas da manhã ainda não começara a clarear, estava a mil metros, andando de um lado para outro. Olhos grudados no monitor, numa escala cada vez maior, continuava sem enxergar nenhuma Islândia. Não é possível! Mais alguns segundos e eu quebraria o meu nariz num paredão de pedra. A entrada do profundo fiorde não tinha mais do que umas centenas de metros. Impossível! Folguei as velas, abaixei a grande, não estava disposto a terminar náufrago na ilha onde Charcot afundou junto com o seu querido *Pourquoi Pas?*. *Puffins* na água em volta, o paredão deveria estar apenas a alguns metros à frente. E, então, uma lua impressionante saiu por cima da neblina, duas muralhas surgiram à frente e uma passagem no meio. A entrada de Seydisfjordur. Dentro do fiorde, nem neblina, nem a menor gota de vento. Liguei o motor, maravilhado com o espetáculo das altas escarpas e cachoeiras refletidas no espelho do canal. Doze milhas no fundo desse lugar mágico e apareceram as luzes e o desenho da pequena cidade espelhada na água. Não tinha a menor ideia de onde parar. Fiz duas voltas, procurando uma vaga em algum cais, olhando, para cima, as montanhas prateadas. Por fim, encostei num cais de madeira abandonado e torto. Saltei com uma das amarras na mão e delicadamente dominei o *Paratii*. Motor desligado, um silêncio impressionante, a lua ainda viva e o dia nascendo. Nunca antes havia parado em lugar tão lindo. Nunca chegara tão perto de explodir... Sem sentir sono, montei a bicicleta, arrumei mais ou menos o barco, e saí pedalando pela cidade adormecida. Lindo lugar. Ninguém nas ruas. Dei uma volta até um posto de gasolina que estava com as luzes acesas, as portas abertas e... deserto. Voltei para o barco. Já estava tudo em ordem. Dormi um pouco.

Pela manhã fiz a entrada na imigração em cinco minutos, tudo resolvido. Fui a um café, lindo mas vazio. O posto de gasolina funcionando, e também vazio. Ninguém com quem falar. Nem tão lindo assim. De volta ao barco, nada a fazer, tudo em perfeita ordem. Quase parti sem aguardar a encomenda. Quase não aguentei esperar durante cinco dias.

A última visão deste silencioso país vulcânico, o alto das geleiras do Vatnajökull, desapareceu com um certo alívio.

O *Paratii* foi também aliviado de âncoras excedentes, ferros e correntes de atracagem, e lubrificantes que não usaria mais. Um bote de emergência ficou dobrado no convés e tudo o que poderia voar foi cuidadosamente amarrado.

O mês de setembro não é a melhor época para fazer uma viagem direta no rumo sul. Os ventos e a corrente são contrários e o mau tempo frequente.

Desde que havia passado ao sul do círculo polar, o frio diminuiu mas, com a umidade, os ventos fortes e o mar agitado logo ao sul da Islândia, a vida ficou bem menos confortável. Ou, pensando bem, nem tanto. Deitado, avançando e furando as ondas, me surpreendi imaginando que, em igual paisagem, dez séculos atrás, outros barcos também cruzaram essas mesmas águas, entre as ilhas da Europa, o Sul da Islândia, a Groenlândia e a América. Barcos espetaculares, que em matéria de desenho e técnica ainda têm o que nos ensinar. Os vikings da Islândia, quando, nos séculos IX e X, ali desembarcaram vindos da Noruega, levavam mais do que gado, escravos celtas, ferramentas ou armas. Não muito maiores que o *Paratii*, com quinze ou dezesseis metros, quinze a vinte homens cada um, seus barcos transportavam uma cultura que se traduziu em livros compilados a partir do ano 1000 — as suas "sagas" —, numa época em que na Europa os livros praticamente não existiam. Do início do século XII data um livro de instruções náuticas, o *Landnämabók*, com indicações para travessias entre as Shetland, Faeroe, Islândia e Groenlândia. Os povos do Norte, em suas andanças no século XI, não vieram para descobrir a América, mas para nela iniciar uma colonização. Gudrid Thorbjarnardóttir — uma mulher viking que acompanhou Erik, o Vermelho, na colonização da Groenlândia; casada com o irmão de Leif Eriksson, morto na América, e depois com Thorfinn — deu à luz, na Terra Nova, ou Vinland, a um menino, Snorre, a única criança branca nascida na América até a chegada dos espanhóis, quinhentos anos mais tarde. Uma colonização que não durou mais do que três anos, expulsa pelos *skrälingar*, como eles chamavam os índios americanos.

Os *knorr* foram barcos notáveis e seus navegadores ainda mais. Fizeram dessa parte do Atlântico um rendilhado de rotas de navegação que nenhum outro povo jamais igualaria.

É preciso conhecer todas as faces do Atlântico Norte, nesta latitude, a bordo de um moderno barco à vela de quinze metros, e ter visto a réplica de um *knorr* navegando para entender do que os descendentes de Erik foram capazes.

Na noite de 20 de agosto, velejando na "região maldita" do Atlântico Norte, entre Irlanda e Groenlândia, e ainda contrariando um tempo de pesadelo, cometi um erro ao dar um bordo. A vela da proa se abriu e voou em pedaços. Poderia ter levado junto o mastro, melhor assim, pensei. Subi uma vela de reserva e, dois dias depois, já estava livre de uma eventual aterragem na Irlanda. Os ventos resolveram colaborar e, agora, mesmo se só dispusesse de uma vela quadrada de *knorr*, sabia que em breve alcançaria o Equador e, um pouco além, Jurumirim.

No rádio, tornei-me ouvinte habitual todas as noites de uma senhora formidável de Curitiba, a América, PY 5 AEV, por quem mandava recados e ouvia notícias do Brasil. Notícias! Que falta faz um jornal do dia para ler de manhã, tomando café! Qualquer coisa para ler. Ultimamente andava lendo o *Tratado do Svalbard*, que consegui em Ny Ålesund, e depois um livro que ganhei do Villela e que quase perdi.

Cedo, tomando café na varanda e lendo ao mesmo tempo, duas explosões seguidas, como tiros, numa manhã de mar tranquilo, me pegaram tão distraído que o café parou no chão e o livro do Villela — *The roots of coincidences*, de Arthur Koestler — saiu voando e quase parou no Atlântico. No céu, dois aviões supersônicos acabavam de romper a barreira do som.

Primeiro de setembro. Primeiros peixes-voadores. Viva!!! De volta aos alísios! Que oceânica alegria um pequeno peixe-voador pode trazer! Entrei na avenida que desce o Atlântico até o Equador! A estrela polar agora a 30° de altura, número da minha latitude.

Fiz uma revisão completa na Florence, troquei os cabos de controle e engraxei todos os eixos. Mil e oitocentas milhas até cruzar a velha linha que separa os hemisférios. Longe ainda em milhas, mas ao menos a certeza de não mais encontrar mau tempo.

Voltei a ler o livro do Koestler num dia de sol espetacular, a seiscentas milhas do Equador, sentado na praça, em frente ao mastro, como um hindu nu, de pernas cruzadas, com o livrinho no colo. Ouvia um barulho estranho, parecia a vela nova vibrando um pouco. Vento a favor, mar calmo, todas as velas abertas, visibilidade perfeita e ainda por cima fora das principais rotas de navegação. O despertador tocou o seu religioso alarme de cada quarenta e cinco minutos. Mal tirei os olhos do livro. O barulho da vela continuou mas não me mexi para tentar uma regulagem melhor, afinal o vento era tranquilo e a vela poderia esperar um pouco. De repente, o barulho aumentou. Quando levantei os olhos fiquei paralisado. Por entre as velas da proa, uma parede de aço cinza com o nome *Mar Frio*, em letras gigantes, estava passando. Um navio argentino, vindo a toda velocidade, em rumo ideal de colisão. Menos de cem metros nos separavam e eu ia entrar bem no meio dele. Um monte de argentinos no convés. Em pânico, saí correndo e a primeira ideia que me ocorreu foi procurar o calção. Loucura! Não havia tempo. Veleiros não têm freios. Desconectei o piloto e, à força, tentei virar o leme. Com todo o pano a favor, não é das tarefas mais fáceis. Passei a uma pequena distância da popa do *Mar Frio* e atravessei a onda que se formava em sua esteira. Por um triz! Eu não estava no bordo preferencial, mas que importa? Contra um navio não vale a pena ter razão. É melhor ficar distante. Durante dois dias não dormi direito de susto. É muito fácil em águas tranquilas e favoráveis cometer erros imperdoáveis.

A estrela polar desapareceu no horizonte e eu entrei no hemisfério sul sob uma nova bateria de trovoadas e chuvas abundantes.

Às 12:48 GMT do dia 23 de setembro, na passagem do equinócio, anotação no diário: "Bem-vinda, primavera", e logo em seguida, roubando Fernando Pessoa:

... Ó mar salgado, quanto do teu sal
São lágrimas de Portugal...

O *Paratii*, coberto de lágrimas de Portugal, uma verdadeira salina. Borrifos esporádicos iam secando no convés sob o sol forte, deixando uma fina camada de sal branco como neve por toda parte.

Cada vez mais perto. Mil quatrocentas e sessenta e oito milhas até a Joatinga!

No dia 29 de setembro entrei na carta brasileira 70 — de Belmonte ao Rio de Janeiro. Águas já navegadas, que enorme emoção... uma andorinha-do-mar com aspecto muito cansado e molhada passou a residir na plataforma do leme. Ao me aproximar, subia para a antena do radar sem se afastar. Bom ter uma companhia a esta altura.

No QSO semanal com o Álvaro, soube que o Hermann havia deixado a Hanseática com o *Rapa Nui*, rumo a Paraty. Puxa vida! Quando? Quando?

A 3 de outubro, após uma bela demonstração de mar

agitado e forte na "área de precaução B", por fora das plataformas de petróleo de Campos, um pequeno grupo de baleias humpback passou ao lado. A andorinha "molhada" partiu e o vento se acalmou. Mas as ondas curtas e desencontradas faziam o barco avançar com dificuldade.

Noite escura de tempo encoberto, durante a madrugada um halo luminoso muito fraco escapou sob as nuvens ao norte. A única coisa que consegui dizer foi "puxa vida". Era o clarão da cidade do Rio de Janeiro, além do horizonte.

Às 9:00 GMT havia um contato marcado com o Álvaro. Ele entrou tranquilo na frequência, mas nervoso na voz. Me pediu a posição e uma estimativa de chegada.

"Não tomei a posição, Álvaro. Estou a quinze milhas a sudeste da Joatinga. O Brasil à proa. Que linda é a terra que eu vejo!"

Terra azul, como um sonho à distância, que pouco a pouco vai ganhando contorno, detalhes e torna-se verde.

Às 14:10, passei por fora da Joatinga, no rumo da ponta Grossa de Paraty. Todas as ilhas que eu conhecia tão bem, ao redor, nos mesmos lugares. Um pequeno ponto escuro vinha à proa. Um veleiro. Peguei os binóculos. Dois mastros, casco azul. Um barco que eu conhecia muito bem... O *Rapa Nui* se aproximando a motor, velas baixas, quase não havia vento, e um mormaço denso tornava as montanhas e ilhas ao redor verdes e vivas como nunca antes eu havia percebido. Ainda segurando os binóculos, me apoiei no mastro para ver quem estava a bordo.

Os cabelos dourados e brilhantes da Cabeluda, o Hermann com um casaco vermelho, e dois amigos.

Próximo à ilha dos Cocos, ouvi outra vez a querida sirene do *Rapa Nui*. Fizeram uma volta e se aproximaram. A Cabeluda no leme, um gesto com os braços para cima, algo nas mãos, me atiraram uma lata de cerveja e uma laranja brasileira, que eu agarrei no ar. Os dois maiores presentes que já ganhei na vida.

Guardei a lata e com o fiel canivete preto cortei a laranja de um polo ao outro, em quatro gomos.

Seguíamos rumos paralelos, os quatro a bordo da escuna azul, rindo. Navegando juntos outra vez. O *Paratii* ainda guardava uma marca azul do *Rapa Nui*, quando, na viagem inaugural, velejando próximos demais, nos chocamos ao largo da Joatinga. Ao passar a ponta Grossa de Paraty, eu vi, ao fundo, distante, o recorte branco das casas da cidade contra a serra. A matriz e as palmeiras-imperiais que marcam Paraty. À esquerda, o nosso canto, a baía de Jurumirim.

Três da tarde, talvez, não lembro das horas nem do tempo. Entrei em silêncio na pequena e escondida baiazinha. Próximo à praia, soltei a âncora com o barco ainda em movimento, a corrente correu, esticou e a proa do *Paratii* voltou-se com suavidade para fora. "Prendeu." As velas já estavam amarradas. Desliguei o motor. Silêncio. UFA!

De volta, *exatamente* ao mesmo pedaço de areia que deixei vinte e dois meses e vinte e sete mil milhas atrás, como se tivesse apenas ido buscar gelo na cidade. Como se o tempo não tivesse passado e, entre os gelos dos polos e Jurumirim, não houvesse distância.

Os coqueiros grandes deram novos frutos e os pequenos estavam maiores. Em um instante.

Na calma de Jurumirim, ouvindo as vozes distantes no *Rapa Nui*, continuei em pé, olhando em volta, esperando por eles, que demoravam, para ir até a praia. Vinte e dois meses para alcançar a mesma areia da partida. Poderia nesse tempo ter vivido aqui entre as montanhas e o mar de Paraty, como já vivi antes. Feito, quem sabe, uma grande viagem à sombra dos coqueiros, sem ter de percorrer vinte e sete mil milhas ou tocar os gelos do sul e do norte.

    De nada serviria. Não teria chegado a lugar nenhum. Não teria voltado. E não teria nunca descoberto que o mais alto dos sonhos é feito de um punhado de pedrinhas numa sacola azul.

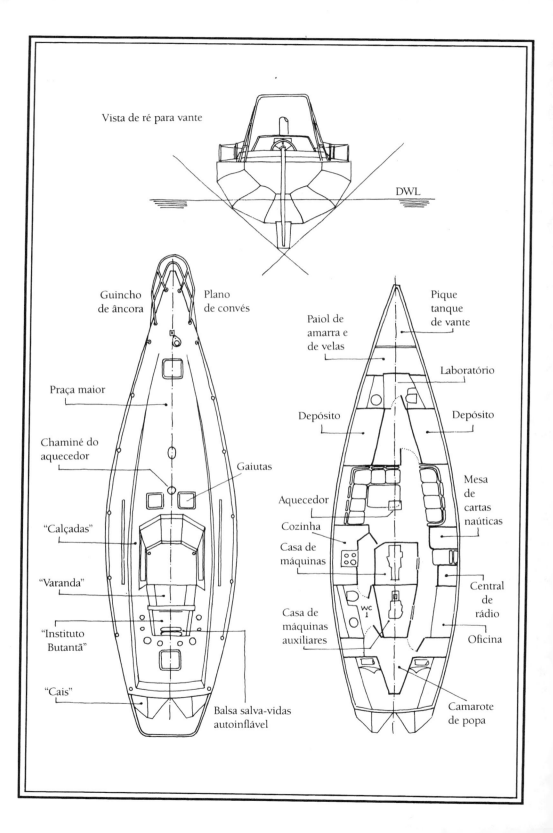

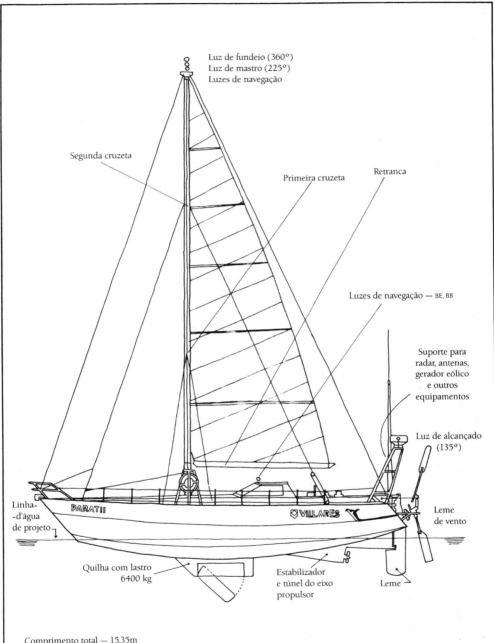

AGRADECIMENTO

ÀS PESSOAS, FÍSICAS OU NÃO,
QUE EMBARCARAM NO *PARATII*
E TORNARAM POSSÍVEL A SUA VIAGEM

Empresas Villares

Quaker Produtos Alimentícios Ltda.
Nutrimental S/A Indústria e Comércio de Alimentos
Le Coq Sportif Comércio de Representação Ltda.

Admiral Charles Williams, Albarus S/A Indústria e Comércio, Alcan Alumínio do Brasil S/A, Alternativa Viagens e Turismo Ltda., Álvaro Guidotti, Álvaro Ricardo de Souza, Ana Maria Bergo Yahn, Andreas Stihl Moto Serras Ltda., Asberit S/A, Ashraf Klink, Audichromo Editora Ltda., Bullhoff-Dodi Sistemas de Fixação e Montagem, Buniek & Duailibi Informática Ltda., Carlos Paggiaro, Celso Morelli, Claudia Bertolozzi Maluf, Copagás Distribuidora de Gás Ltda., Cordoaria São Leopoldo S/A, Décio Cezaretti, Diretoria de Hidrografia e Navegação, Dow Química S/A, dr. Edison Mantovanni Barbosa, Edra do Brasil S/A, Eduardo Louro de Almeida, Elebra Informática Ltda., Empax Embalagens S/A, Fania — Fábricas de Instrumentos para Auto-Veículos Ltda., Fausto Chermont, dr. Fernando Teixeira V. de Oliveira (Fêca), Flora Lys Spolidoro, Geraluz Indústria e Comércio Ltda., Giroflex S/A, Goyana S/A, Guillaumon — LGS Hidráulicos, Hanseática Estaleiros Ltda., Hélio Setti Jr., Heliodinâmica S/A, Henkel S/A Indústrias Químicas, Hering Malhas S/A, Hermann Atila Hrdlicka, Hospital de Marinha do Rio de Janeiro, Indupar S/A Indústria de Parafusos, Issao Kohara, Instituto Astronômico e Geofísico, Instituto Oceanográfico, Instituto de Pesquisas Tecnológicas — Departamento Naval da USP, Jean Duailibi, Johnson & Johnson do Brasil, José Antonio Moeller, José Carlos B. Furia, José Mário Brasiliense Carneiro, Kalil Sehbe S/A Indústria do Vestuário, Kon Tiki Museum — Thor Heyerdahl, Lauro Aidar, Levefort Indústria e Comércio Ltda., Luiz Matoso, Manuel R. Garcia, Massey Perkins S/A, Maxion S/A, Metalúrgica Detroit S/A, Metalúrgica Suprens Ltda., Mobil Oil do Brasil S/A, Nautitécnica, Nife do Brasil Sistemas Elétricos Ltda., NapOc *Barão de Teffé*, NOc *Prof. Besnard*, Nutrimental Cozinha Experimental S/A, Nysse Arruda, Olleg Belli, Osram do Brasil S/A, dr. Pirajá Guilherme Pinto, Pirelli S/A Cia. Industrial Brasileira, Polar Equipamentos Ltda., René Hermann, Robert Bosch Ltda., Roberto de Mesquita Barros (Cabinho), Roberto Stickel, prof. Rubens Junqueira Villela, Shell do Brasil S/A, Thierry Stump, Thomaz Brandolin, Thomaz Camargo Coutinho, Tintas Renner S/A, Tubos Plásticos Spiraflex Ltda., VDO Comercial Ltda., Zeca Abu-Jamra e toda comunidade radioamadora.

BIBLIOGRAFIA SUGERIDA

AMUNDSEN, Roald. *The South Pole*. Londres, C. Hurst & Company, 1978.
Arctic pilot — Den Norske Los. — Jan Mayen. Svalbard, The Norwegian Hydrographic Service, 1988.
Antarctica. Great stories from lhe frozen continent. Austrália, Reader's Digest, 1985.
BJELKE, Rolf & SHAPIRO, Deborah. *Northern Light. Its epic arctic-antarctic sailing voyage*. Estocolmo, Queen Anna Press Books, 1986.
BOORSTIN, Daniel J. Os *descobridores*. Rio de Janeiro, Civilização Brasileira, 1989.
CHARCOT, Jean. *The voyage of the Pourquoi Pas?*. Londres, C. Hurst & Company, 1978.
CHOPARD, Michel; GAZANION, Daniel; MAROUX, Bruno & MONCHAUD, Claude. *Kim. Mer, soleil, glaces*. França, Éditions du Pen Duick, 1983.
COOK, Frederick A. *Through the first antarctic night 1898-1899*. Londres, C. Hurst & Company, 1980.
FUCKS, sir Vivian. *Of ice and men*. Oswestry, Anthony Nelson, 1982.
GARRARD, Apsley Cherry. *The worst journey in the world*. Harmondsworth, Penguin Books.
GERLACHE, Ct. Adrien de. *Quinze mois dans l'Antarctique. Voyage de la Belgica*. Paris, Hachette, 1902.
HASSE & SCHRÖDER, Barbara M. *Iceland. More than sagas*. Suécia, Schröders Ord & Bildbyrâ AB, 1990.
HUNTFORD, Roland. *The last place on earth*. Nova York, Atheneum, 1985.
LANSING, Alfred. *A incrível viagem do Endurance*. Rio de Janeiro, José Olympio, 1989.

—227—

LEWIS, David & GEORGE, Mini. *Icebound in Antarctica*. Nova York, W. W. Norton, 1987.
PONCET, Sally. *Le grand hiver.* Paris, Arthaud.
ROTH, Hal. *Two against cape Horn*. Ontário, Penguin Books, 1978.
The Antarctic pilot. Grã-Bretanha, N.P.9. Hydrographer of the Navy, 1974.
The vikings. Washington, D. C., National Geographic Society, 1972.
WILSON, Edward. *Diary of the Terra Nova Expedition to the Antarctic 1910/1912*. Londres, Blandford Press, 1972.
WORSLEY, F. A. *Shackleton's boat journey.* Londres, W. W. Norton, 1977.

1ª EDIÇÃO [1992] 36 reimpressões

ESTA OBRA FOI COMPOSTA PELA TYPELASER DESENVOLVIMENTO
EDITORIAL EM CENTURY OLD STYLE E IMPRESSA PELA GEOGRÁFICA
EM OFSETE SOBRE PAPEL ALTA ALVURA DA SUZANO S.A.
PARA A EDITORA SCHWARCZ EM JUNHO DE 2024

A marca FSC® é a garantia de que a madeira utilizada na fabricação do papel deste livro provém de florestas que foram gerenciadas de maneira ambientalmente correta, socialmente justa e economicamente viável, além de outras fontes de origem controlada.